フランス語
日本紹介事典
JAPAPEDIA

ジャパペディア

増補改訂版

IBCパブリッシング 編

西村 亜子 訳

IBCパブリッシング

翻訳協力　＝高野優　トリスタン・ブルネ　ペリーヌ・アラン・ブルネ
クリスチーヌ佐藤
〈チーム白百合：小林淑子　伊藤愛　矢野絵美子　大杉美由紀　小川実優　木原千恵
輿石せりか　昆ゆみ　吉田怜美　石森絵里香　林亜幸子　米田祥子〉
カバーデザイン　＝岩目地英樹（コムデザイン）
イラスト　＝テッド高橋　横井智美
ナレーション　＝Philippe LACUEILLE
録音スタジオ　＝株式会社 巧芸創作

まえがき

出入国管理局のデータ（2022年12月）によれば、在日フランス人の数はおよそ14,339 人と、年々増加の傾向にあります。アフリカなど、フランス以外の国のフランコフォン（フランス語話者）を加えれば、その数はもっと大きいでしょう。このように以前に比べて国内でフランス語を使う機会はぐんと増えています。

本書はできるかぎり特殊な動詞と複雑な構文を避けて、日本と日本の文化を説明・紹介することを心がけました。バリエーションがある場合は、まずは短めなフレーズ（一番重要なこと・結論）、次に補足情報（具体的な説明やデータ的なもの）を足したもの、としています。

使い方としては、最初のうちは付属の音源を有効活用し、既知の内容をフランス語でリスニング、リピート、そしてシャドーイングと進めていくのが効果的です。慣れてきたら、今度は「どんな場面でこのキーセンテンスは使えるか？」「コンビネーションは？」とフランス語話者との会話を想像しながら練習してみましょう。その時、必ず相手がどういう質問を投げかけてくるか、その質問文も考えましょう。例えば、第一章の「国名」ですが、「日本語では日本のことをニッポンといいます」なんてどういう場面・文脈で使いますか？　そしてこの後、あなたなら何と続けますか？　そして最後は、キーセンテンスにならって「自分の言いたいこと」を足してみたり、作文したりしましょう。

本書は自国文化を知るための入門書としても活用できますが、ある一面しか取り上げていません。私たちの国と文化に興味を持ってくれたフランコフォンたちとの会話のキャッチボールを楽しむために、ぜひ本書を出発点にして、日本と日本の文化を振り返り、ご自分なりの『ジャパペデイア』を作っていってください。

西村 亜子

◆フランスの基本情報

フランスの国旗は左から青色・白色・赤色で、通称トリコロール（Tricolore, 三色の意）と呼ばれる。

公用語：フランス語
面　積：54.9万平方キロメートル
人　口：約6,804万人
通　貨：ユーロ

政　体：共和制（第五共和政）
大統領：エマニュエル・マクロン（2017年5月14日に就任し、2022年再選。任期5年）

ヨーロッパ中西部に位置するフランス本土は、北西はイギリス海峡、西は大西洋、南は地中海に面しており、陸上ではベルギー、ルクセンブルク、ドイツ、スイス、イタリア、スペイン、アンドラ、モナコの８カ国と国境を接しています。また、フランス植民地帝国時代の名残でニューカレドニアなどの海外領土も有しています。

国際政治・経済や安全保障において最も影響力のある先進国のひとつであり、国連安保理常任理事国のほか、G7、欧州連合（EU）、経済協力開発機構（OECD）、北大西洋条約機構（NATO）などの主要メンバーです。また、核拡散防止条約（NPT）により核兵器の保有を認められた５つの公式核保有国のひとつで、アメリカを除けば世界で唯一の原子力空母「シャルル・ド・ゴール」や原子力潜水艦も保有するなど、強大な軍事国家でもあります。

歴史的にも百年戦争やフランス革命、ナポレオン戦争といった事象の主要な舞台であり、数多くの著名な哲学者や科学者、芸術家たちが活躍しました。古くからの教会建築や宮殿、絵画工芸品などの豊かな文化遺産、ファッションやグルメなどあらゆる分野に優れたフランスには、その魅力に惹かれて毎年世界各地からたくさんの旅行者が訪れています。

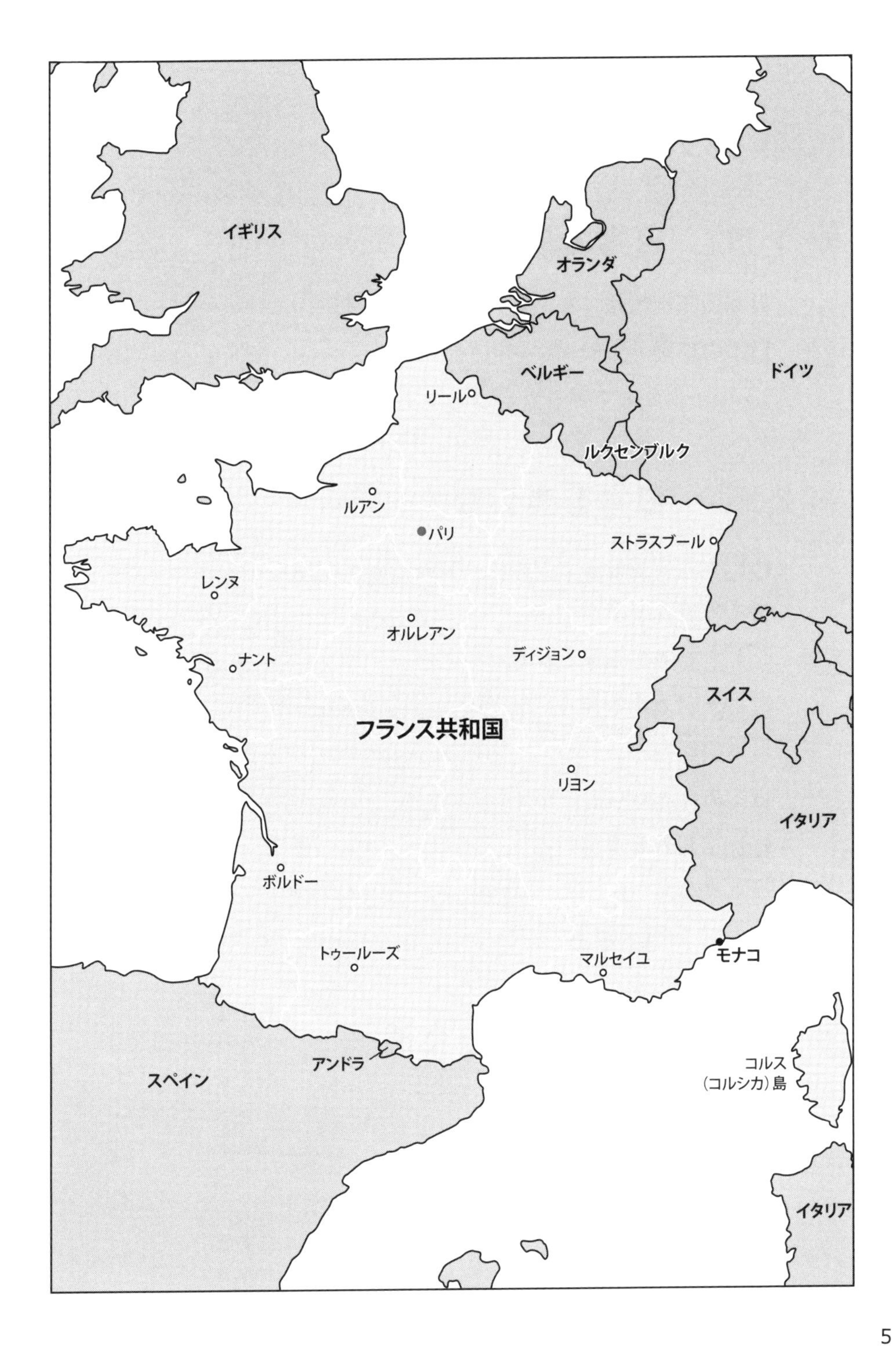

イギリス
オランダ
ベルギー
ドイツ
リール
ルクセンブルク
ルアン
パリ
ストラスブール
レンヌ
オルレアン
ディジョン
ナント
スイス
フランス共和国
リヨン
イタリア
ボルドー
トゥールーズ
マルセイユ
モナコ
コルス
（コルシカ）島
アンドラ
スペイン
イタリア

●音声ダウンロードについて●

本書のフランス語の音声ファイル（MP3 形式）をダウンロードして聞くことができます。

各セクションの冒頭にある QR コードをスマートフォンで読み取って、再生・ダウンロードしてください。音声ファイルはトピックごとに分割されていますので、お好きな箇所をくり返し聞いていただけます。

また、下記 URL と QR コードからは音声ファイルを一括ダウンロードすることができます。

https://ibcpub.co.jp/audio_dl/0793/

※ ダウンロードしたファイルは ZIP 形式で圧縮されていますので、解凍ソフトが必要です。

※ MP3ファイルを再生するには、iTunes（Apple Music）や Windows Media Player などのアプリケーションが必要です。

※ PC や端末、ソフトウェアの操作・再生方法については、編集部ではお答えできません。付属のマニュアルやインターネットの検索を利用するか、開発元にお問い合わせください。

日本の基本情報

日本の基本情報

日本の地理・気候

日本の基本情報

「にっぽん」または「にほん」と読みます。どちらも多く用いられているため、日本政府は正式な読み方をどちらか一方には定めておらず、どちらの読みでも良いとしています。古くは「倭」と呼ばれました。

国名

□ 日本語では、日本のことをニッポンといいます。

□ ニッポンは日本の公式な名前です。

□ 日本人は時々、ニッポンをニホンと発音します。

暦・元号

□ 日本は西洋諸国と同じ太陽暦を使っています。

□ 旧暦とは太陰暦のことで、日本は1872年まで使っていました。

□ 日本では、西暦と日本式の元号の両方を使っています。たとえば、西暦2023年は、令和5年です。

□ 元号はもとは中国からきたものですが、今では日本独自の制度を使っています。

□ 日本の年号制度では、新たな天皇が皇位を継承してからの年数が基本になっています。

□ 2023年は日本式では令和5年です。現在の天皇が皇位を継承して5年目ということです。

民族・移民

□ 日本の人口の98%が日本人です。

□ 日本には、約14,000人のフランス人が住んでいます。

Track 01

Le nom du pays

Le Japon se dit « Nippon ».

« Nippon » est le nom officiel du Japon.

Les Japonais prononcent « Nippon » ou « Nihon ».

Le calendrier

Au Japon, on utilise le calendrier solaire comme dans les pays occidentaux.

L’ancien calendrier est le calendrier lunaire. On l’a utilisé au Japon jusqu’en 1872.

Au Japon, on utilise en même temps l’ère chrétienne et l’ère japonaise « Reiwa ». Par exemple, 2023 de l’ère chrétienne correspond à l’an 5 de l’ère Reiwa.

À l’origine, les noms d’époques venaient de la Chine, mais maintenant, on utilise un système propre au Japon.

Le système du nom d’une ère japonaise est basé sur le nombre d’années de règne d’un empereur.

L’année 2023 correspond à l’an 5 de l’ère Reiwa. C’est-à-dire la 5ème année du règne de l’empereur actuel.

La population / Les immigrés

Les Japonais représentent 98 % de la population japonaise.

Au Japon, il y a environ 14 000 Français.

□ 日本に住んでいる外国人は290万人ほどです。

□ 北海道にはアイヌと呼ばれる先住民がいます。

□ 北海道にはアイヌと呼ばれる先住民がいて、その人口は約13,000人です。

□ 2019年、日本を訪れた外国人はおよそ3180万人です。

□ 日本人と結婚して日本に住む外国人はおよそ20万人です。

□ 日本にいる留学生は約24万人です。

時間帯

□ 日本標準時はUTC（世界標準時）プラス9時間です。

□ 日本はフランスより8時間進んでいます（サマータイム時は7時間）。

□ 日本と韓国は同じ時間帯です。

単位

□ 日本では、1885年以来、メートル法を使っています。

□ 重さの単位にはグラムを、体積の単位にはリットルを使います。

□ 尺貫法とは、日本古来の計量法です。尺は長さの単位、貫は重さの単位です。

□ 日本の通貨は円です。

□ 日本の通貨は円で、換算レートは変動為替相場が基本になっています。

□ 銭と厘は、円のさらに下の単位ですが、今では使われていません。

Environ 2 millions 90 000 étrangers habitent au Japon.

À Hokkaïdô vivent des autochtones qu'on appelle « Aïnou ».

À Hokkaïdô vivent des autochtones qu'on appelle « Aïnou ». Ils sont environ 13 000.

En 2019, environ 31,8 millions d'étrangers ont visité le Japon.

Environ 200 000 étrangers sont mariés avec des Japonais et ils habitent au Japon.

Il y a environ 240 000 étudiants étrangers au Japon.

L'heure du Japon

Pour obtenir l'heure légale du Japon, il faut ajouter 9 heures à l'heure TU.

L'heure du Japon avance de 8 heures par rapport à celle de la France (7 heures à l'heure d'été).

L'heure du Japon et celle de la Corée est la même.

Les unités au Japon

Au Japon, on utilise le système métrique depuis 1885.

On utilise le gramme comme unité de poids et le litre comme unité de volume.

Le système Shakkan est le système des poids et mesures ancien spécifique au Japon. Shaku était l'unité de longueur, Kan était celle de poids.

La monnaie du Japon est le yen.

La monnaie du Japon est le yen. Le cours du change est un élément de fluctuation.

Sen et Rin sont des unités inférieures au yen. Elles ne sont plus utilisées actuellement.

交通・入国

□ 日本では車は左側通行です。

□ 主要空港は、東京近郊にある成田国際空港と、大阪周辺向けの関西国際空港です。

□ 東京周辺には、成田と羽田の国際空港があります。

□ 関西国際空港は、大阪周辺地区向けです。

□ 中部国際空港は、名古屋周辺地区向けです。

□ 北海道の新千歳国際空港と九州の福岡国際空港からは、国際線も乗り入れています。

成田空港

電話・インターネット

□ 日本の国際電話の国番号は81です。

□ たいていのホテルには、Wi-Fiが完備されています。

□ ネットカフェに行けば、インターネットにアクセスできる有料のパソコンが使えます。

□ 公共交通でもWi-Fiが利用できます。

La circulation / L'accés au Japon

Au Japon, les voitures circulent à gauche.

L'aéroport principal est l'aéroport international de Narita, près de Tokyo. L'aéroport international de Kansaï se trouve près d'Osaka.

Aux environs de Tokyo, il y a deux aéroports internationaux : Narita et Hanéda.

L'aéroport international de Kansaï est celui de la région d'Osaka.

L'aéroport international de Chûbu est celui de la région de Nagoya.

Le Nouvel aéroport international Chitosé (Hokkaïdô) et l'aéroport de Fukuoka (Kyûshû) desservent également les lignes internationales.

羽田空港

Le téléphone / L'Internet

L'indicatif téléphonique international du Japon est le 81.

Les hôtels sont presque tous équipés de Wi-Fi.

Si on va dans un café internet, on peut utiliser des ordinateurs connectés (c'est payant).

On peut utiliser le Wi-Fi même dans les transports en commun.

日本の地理・気候

日本の位置、地勢や気候をフランス語で説明できるようになりましょう。フランスは国土が広く、地域によって異なる気候が共存しています。日本には四季があることや、夏は暑さの他に湿度が高いことなどを説明できるといいでしょう。

日本の位置

☐ 日本は極東に位置しています。

☐ 日本は極東の、アジアの端にあります。

☐ 日本の近隣諸国は、韓国、中国、ロシアなどです。

☐ 日本は極東に位置しており、隣国は韓国、中国、ロシアです。

☐ 日本海の向こうは、中国、ロシア、韓国です。

☐ 日本とアジア諸国の間には、日本海があります。

☐ 日本は太平洋を挟んで、アメリカと向き合っています。

☐ 日本は環太平洋地域の国の一つです。

☐ 東京からパリまでの距離は9,730kmです。

☐ パリから東京までは飛行機でおよそ12時間かかります。

☐ パリの空港は3つです。パリ＝ル・ブルジェ、パリ＝ロワッシー・シャルル・ド・ゴール、そしてパリ＝オルリーです。

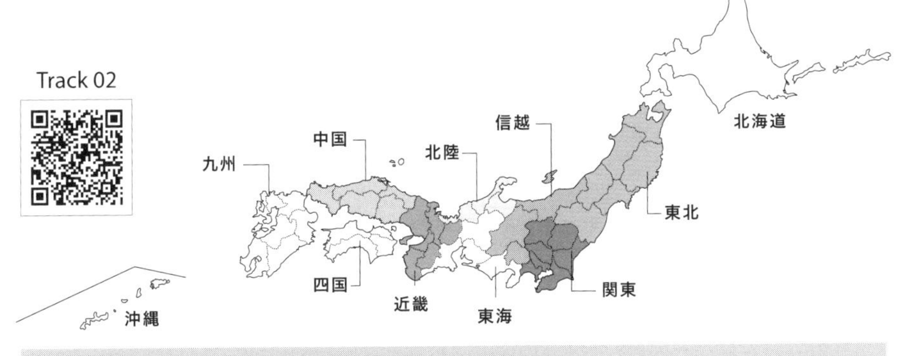

La situation géographique du Japon

Le Japon est situé en Extrême-Orient.

Le Japon est situé à l'extrémité de l'Asie.

Les pays voisins du Japon sont la Corée, la Chine et la Russie.

Le Japon est situé à l'extrémité de l'Asie et ses pays voisins sont la Corée, la Chine et la Russie.

Au-delà des mers se trouve la Chine, la Russie et la Corée.

Entre le Japon et les pays d'Asie se trouve la Mer du Japon.

L'Océan Pacifique se trouve entre le Japon et les États-Unis qui sont en vis-à-vis.

Le Japon est un pays de la Zone Pacifique.

Tokyo et Paris sont distants de 9 730 km.

Il faut environ 12 heures d'avion entre Paris et Tokyo.

Il y a 3 aéroports à Paris : Paris-Le Bourget, Paris-Roissy-Charles-de-Gaulle et Paris-Orly.

日本のサイズ

□ 日本の国土はおよそ370,000平方キロです。

□ 日本の国土は370,000平方キロで、ドイツより少し大きいです。

□ 日本は極東に位置する島国です。

□ 日本の国土は、アメリカ、中国、ロシアと比べると狭いです。

□ 日本の面積はフランスの3分の2です。

日本の国力

□ 日本は世界第3位の経済大国です。

□ 日本は先進国です。

□ 日本のインフラは高度に発展しています。

□ 日本の教育システムは進歩しています。

日本の治安

□ 日本は犯罪が少ないことで知られています。

□ 日本は犯罪が少ないことで知られています。統計によると、日本全体の犯罪発生件数は、フランスの15%程度です。

日本の人口

□ 日本の人口はおよそ1億2千万です。

□ 約1億2千万の人が日本には住んでいます。

□ 日本は人口密度の高い国です。

□ 日本は混み合った国です。

Le superficie du Japon

La superficie totale du Japon fait environ 370 000 km^2.

La superficie totale du Japon fait environ 370 000 km^2. Il est un peu plus grand que l'Allemagne.

Le Japon est un pays qui se situe à l'extrémité de l'Asie.

Le territoire japonais est plus petit que celui des États-Unis, de la Chine et de la France.

La superficie totale du Japon est d'environ deux tiers de celle de la France.

La place du Japon dans le monde

Le Japon est la troisième superpuissance économique mondiale.

Le Japon est un pays développé.

Les infrastructures japonaises sont très bien développées.

Le système éducatif japonais est très développé.

La sécurité au Japon

Le Japon est connu pour sa sécurité.

Le Japon est connu pour sa sécurité. Selon les statistiques, le taux de criminalité au Japon est 15 % de celui en France.

La population japonaise

La population du Japon est environ de 120 millions d'habitants.

120 millions de personnes vivent au Japon.

Le Japon est un pays à forte densité de population.

Le Japon est un pays à forte densité.

□ 日本は混み合った国です。とくに、東京、大阪に人が集中しています。

□ 日本の人口は1億2千万で、フランスの2倍です。

□ 日本の人口は1億2千万で、面積はフランスの 3 分の 2 です。

□ 日本は平地の少ない山がちな国で、そこに1億2千万の人が住んでいます。

日本の地勢

□ 日本は島国です。

□ 日本は島国で、6,800以上の島があります。

□ 日本は主要4島からなる島国です。北から北海道、本州、四国、そして九州です。

□ 日本は島国で、6,800以上の島があります。主な島は北から、北海道、本州、四国、九州です。

□ 日本は南北に長くのびた島国です。

□ 日本は島国で、数えきれないほどの湾や入り江があります。

□ 日本の海岸線は、たくさんの湾や入り江で複雑な地形をしています。

□ 最も大きな島は本州で、東京は本州にあります。

□ 本州は日本で一番大きな島で、イギリスより少し小さいです。

□ 日本は山がちな国です。

□ 日本は平地の少ない山がちな国です。

Le Japon est un pays à forte densité. La population se concentre surtout à Tokyo et Osaka.

Le nombre de la population japonaise est de 120 millions. C'est le double de celui de la France.

Le chiffre de la population japonaise est de 120 millions et sa superficie est d'environ deux tiers de celle de la France.

Le Japon est un pays montagneux et de peu de plaines. 120 millions d'habitants y vivent.

La géographie du Japon

Le Japon est un pays insulaire.

Le Japon est un pays insulaire avec plus de 6 800 îles.

Le Japon est un pays insulaire composé de quatre îles principales. Du nord au sud : Hokkaïdô, Honshû, Shikoku et Kyûshû.

Le Japon est un pays insulaire avec plus de 6 800 îles. Les quatre îles principales sont du nord au sud : Hokkaïdô, Honshû, Shikoku et Kyûshû.

Le Japon est un pays insulaire qui s'étend du nord au sud.

Le Japon est un pays insulaire avec d'innombrables baies et criques.

La ligne côtière est une configuration complexe de nombreuses baies et criques.

La plus grande île est Honshû où se trouve Tokyo.

Honshû est la plus grande île du Japon et elle est plus petite que l'Angleterre.

Le Japon est un pays montagneux.

Le Japon est un pays montagneux et de peu de plaines.

- □ 日本には多くの火山があります。
- □ 日本列島に山が多いのは、火山活動がとても活発な地域に位置しているからです。
- □ 日本では多くの地震が起きます。
- □ 日本列島には活火山が多いので、頻繁に地震が起きます。
- □ 日本の平地は限られています。
- □ 日本は山が多いので、平地はとても限られています。
- □ 日本で一番大きな平野は、関東平野です。
- □ 日本で一番大きな平野は、東京を囲む関東平野です。
- □ 日本で一番大きな平野は関東平野で、イル＝ド＝フランス地域圏（パリ地域圏）の約1.4倍の面積です。
- □ 東京を囲む日本で一番大きな平野は関東平野で、イル＝ド＝フランス地域圏（パリ地域圏）の約1.4倍の面積です。

Il y a beaucoup de montagnes volcaniques au Japon.

L'archipel du Japon a beaucoup de montagnes parce qu'il se situe dans une région de forte activité volcanique.

Il y a beaucoup de tremblements de terre au Japon.

Comme il y a beaucoup de volcans actifs au Japon, il y a fréquemment de tremblements de terre.

Au Japon, les plaines sont peu nombreuses.

Au Japon, les plaines sont peu nombreuses car il y a beaucoup de montagnes.

La plaine la plus étendue du Japon est la plaine du Kantô.

La plaine la plus étendue du Japon est la plaine du Kantô, celle qui est autour de Tokyo.

La plaine la plus étendue du Japon est la plaine du Kantô. Sa superficie (17 000 km^2) est 1,4 fois plus grande que la région de l'Île- de-France (12 011 km^2).

La plaine la plus étendue du Japon est la plaine du Kantô, celle qui est autour de Tokyo. Sa superficie (17 000 km^2) est 1,4 fois plus grande que la région de l'Île- de-France (12 011 km^2).

日本の気候

□ 日本のほぼ全域が温帯に属しています。

□ 日本の気候は基本的には温暖です。

□ 日本の気候は基本的には温暖ですが、北と南では大きく異なります。

□ 日本は南北に細長くのびているので、気候もさまざまです。

□ 日本の春は快適です。

□ 日本の春は温暖で快適です。

□ 日本を訪れるなら春が最適です。

□ 日本の雨季は梅雨といいます。

□ 日本には梅雨とよばれる雨季があります。

□ 日本には梅雨とよばれる雨季があり、その期間はじめじめしています。

□ 日本の梅雨は6月から7月中旬までです。

□ 梅雨とは雨季のことで、夏の前のその時期、暖かい気流と冷たい気流がぶつかり合います。

□ 日本の夏は湿度が高いです。

□ 日本の夏は暑いです。

□ 日本の夏はじめじめとしています。

□ 日本の夏は暑くて湿度が高いです。

Les climats du Japon

La quasi-totalité du territoire au Japon fait partie de la zone de climat tempéré.

Généralement, le Japon a un climat doux.

Généralement, le Japon a un climat doux, mais il existe une grande différence de climat entre l'extrême nord et l'extrême sud du pays.

Comme l'archipel du Japon est très allongé en s'étendant du Nord au Sud, son climat est diversifié.

Le printemps au Japon est une saison agréable.

Le printemps au Japon est une saison douce et agréable.

Le printemps est la meilleure saison pour visiter le Japon.

Au Japon, la saison des pluies s'appelle « Tsuyu ».

Au Japon, il y a une saison des pluies qui s'appelle « Tsuyu ».

Au Japon, la saison des pluies s'appelle « Tsuyu ». Cette période est très humide.

Au Japon, la saison des pluies qui s'appelle « Tsuyu » a lieu entre juin et début juillet.

« Tsuyu » est la saison des pluies au Japon. En cette période d'avant l'été se croisent un courant chaud et un courant froid.

Au Japon, l'été est très humide.

Au Japon, l'été est très chaud.

En été au Japon, il fait très humide.

Au Japon, l'été est très chaud et très humide.

□ 日本の夏が暑くて湿度が高いのは、亜熱帯高気圧が暖かい気流を日本のほうに押し上げるからです。

□ 夏から秋の初めにかけて、台風と呼ばれる熱帯低気圧が日本にやってきます。

□ 日本のほかの地域に比べると、北海道は夏でも涼しいです。

□ 台風はハリケーンのようなもので、毎夏、太平洋から日本に向けてやってきます。

□ 秋は日本を旅するのにちょうどいい季節です。

□ 日本の秋の天候はとても快適です。

□ 晩秋になると北海道は寒くなります。

□ 10月下旬になると北海道には初雪が降ります。

□ 京都の紅葉は11月が見ごろです。

□ 九州の冬は比較的穏やかですが、北海道はとても寒いです。

樹氷

□ 本州の北西部では、冬になるとかなりの量の雪が降ります。

□ 日本の北部には、かなりの量の雪が降ります。

□ 日本の北部にはかなりの量の雪が降りますが、東部は冷たい風のため、寒くて乾燥しています。

□ 一般的には、日本を旅するなら天候もよい春と秋が最適です。

□ 日本では春になると、美しい桜を満喫することができます。

□ ヨーロッパや北米と同様、秋になると山や村では鮮やかな紅葉が楽しめます。

Au Japon, l'été est très chaud et très humide parce que la dépression semi-équatoriale repousse le courant chaud vers le Japon.

La dépression équatoriale qu'on appelle « Taifû (Typhon) » menace le Japon de l'été à l'automne.

Par rapport aux autres régions du Japon, il fait frais à Hokkaïdô même en été.

Chaque été, le typhon, qui est comme un ouragan, atteint le Japon par l'Océan Pacifique.

L'automne est une bonne saison pour voyager au Japon.

Au Japon, le climat de l'automne est très agréable.

À la fin de l'automne, le temps se refroidit à Hokkaïdô.

À Hokkaïdô, les premières neiges tombent en fin octobre.

À Kyoto, c'est au mois de novembre que les érables sont rouges.

L'hiver de Kyûshû est relativement doux. Mais celui d'Hokkaïdô est très froid.

En hiver, il neige beaucoup dans le nord-ouest de Honshû.

En hiver, il neige beaucoup dans le nord du Japon.

En hiver, il neige beaucoup dans le nord du Japon ; il fait froid et sec à cause du vent.

En général, il est conseillé de visiter le Japon au printemps et en automne car le climat et la météo sont très stables.

Au Japon, on peut admirer de belles fleurs de cerisier au printemps.

Au Japon, on peut admirer de beaux érables dans les montagnes et à la campagne en automne, comme dans les pays européens et nord-américains.

日本語

- □ 日本語がどこからきたのか、正確なことはわかっていません。

- □ 韓国人やアジア北部の人々が似た言葉を話しています。

- □ 日本語は、2千年にわたって小さな島々の中で、孤立してきました。

- □ 中国の漢字は、5世紀から6世紀ごろに日本に伝わりました。

- □ 中国の文字を日本では漢字といい、今日でも日本語を書くのに使われています。

- □ 漢字は、日本語の文章に組み込まれて使われます。

- □ 漢字は、日本語の文章に組み込まれて使われますが、中国語の文法の影響は受けません。

- □ 日本語と中国語はまったく異なる言語です。

- □ 日本語と中国語は異なる言語なので、中国語の文法に左右されずに漢字を使うことができます。

- □ 日本語と中国語はまったく異なる言語ですが、書き文字として漢字を取り入れました。

- □ 中国本土では簡略化された漢字が使われています。それらの文字は日本の漢字とは異なります。

- □ 一つの漢字に対して、2種類の読み方があります。

- □ 一つの漢字に対して、2種類の読み方があります。中国風の読み方を音読み、日本風に変更したものを訓読みといいます。

- □ 漢字は日本で古くから使われてきたため、音読みも現在の中国語の発音とは異なります。

La langue japonaise

On ne sait pas exactement l'origine de la langue japonaise.

Les Coréens et les habitants d'Asie du nord parlent une langue qui ressemble au japonais.

La langue japonaise était « isolée » dans de petites îles pendant deux mille ans.

Les Kanji (caractères chinois) sont arrivés au Japon entre les 5ème et 6ème siècle.

Les lettres chinois sont appelées "Kanji" au Japon. Elles sont encore utilisées même de nos jours pour écrire le japonais.

Les « Kanji » sont utilisés dans des phrases de la langue japonaise.

Les « Kanji » sont utilisés dans des phrases de la langue japonaise mais ne subissent pas d'influence de la grammaire chinoise.

La langue japonaise et la langue chinoise sont deux langues totalement différentes.

Comme le japonais est différent du chinois, les Japonais utilisent les « Kanji » sans être influencés par la grammaire chinoise.

Le japonais et le chinois sont deux langues tout à fait différentes mais les Japonais ont importé les caractères chinois, les « Kanji », pour écrire.

En Chine, de nos jours, on utilise les caractères simplifiés. Ces caractères sont complètement différents des « Kanji » japonais.

Chaque « Kanji » peut se lire de deux façons différentes.

Il y a deux façons de lire un « Kanji » : le « On-Yomi » qui est la lecture chinoise des Kanji et le « Kun-Yomi » qui est la lecture transposée en japonais.

Les Kanji ayant été introduits au Japon depuis très longtemps, la lecture On-Yomi est très différente de la prononciation du chinois actuel.

□ 音読みは1700年以上にわたって日本語のなかで確立されてきたので、中国人も理解することはできません。

□ 漢字のほかに、日本人はカタカナとひらがなを使います。

□ 日本人はカタカナとひらがなという独自の表音文字を考案しました。

□ 9、10世紀ごろに、カタカナとひらがなは広まりました。

□ カタカナもひらがなも、漢字の表記から発達したものです。

□ ひらがなは毎日の書き文字として使われています。

□ ひらがなは毎日の書き文字に使われ、カタカナは外来語を表すときに使われます。

伊→い
呂→ろ
波→は
仁→に

□ 以前、カタカナは公式の書類などで使われていましたが、今では外来語を表すときに使われています。

□ 日本人は書くときに、漢字、カタカナ、ひらがなを一緒に使います。

□ 日本はその歴史を通して、外国語を受け入れ、(日本風に)変更してきました。

□ 昔は、数え切れないほどの言葉が、中国から輸入され、日本語に組み込まれていきました。

□ 輸入された言葉や表現は、外来語と呼ばれます。

□ 外来語は日本語の文法構造に組み込まれています。

□ 外来語はカタカナで表記され、日本式に発音します。

【正誤表】本書に下記の通り、誤記がありました。お詫びして訂正いたします。

該当箇所	誤	正
p.15 交通・入国 見出し	La circulation / L'**accés** au Japon	La circulation / L'**accès** au Japon
p.19 日本のサイズ 見出し	**Le** superficie du Japon	**La** superficie du Japon
p.31 2行目	En plus des Kanji, ... les **Katakata** et les Hiragana.	En plus des Kanji, ... les **Katakana** et les Hiragana.
p.39 熊野古道 見出し	**Le** route Kumano Kodô	**La** route Kumano Kodô
p.39 古都奈良 2つ目	La ville de Nara ...... car elle était **le le** point d'arrivée de la	La ville de Nara ...... car elle était **le** point d'arrivée de la
p.45 明治日本 1つ目	Ces sites sont la **peuve** que le Japon	Ces sites sont la **preuve** que le Japon ......
p.45 明治日本 2つ目	La sidérurgie, ... sont les pilliers de l'**insdrustrie** japonaise.	La sidérurgie, ... sont les pilliers de l'**industrie** japonaise.
p.45 長崎と天草 2つ目	Les chrétiens cachés ...... au Japon **pendant la pendant** toute la p	Les chrétiens cachés ...... au Japon **pendant** toute la période d'
p.59 障子 1つ目	Le « Shôji » ...... les pièces et les **couloir.**	Le « Shôji » ...... les pièces et les **couloirs.**
p.89 最終行	À Sapporo, il arrive de servir le « Miso Ramén » en **ajourant**	À Sapporo, il arrive de servir le « Miso Ramén » en **ajoutant** .....
p.93 下から3行目	Le « Katsu don » **resssemble** au « Oyako don », **mais est on** met	Le « Katsu don » **ressemble** au « Oyako don », **mais on** met du
p.101 4行目	Le « Namagashi » est une sorte de « Wagashi » **mœlleux faibriqu**	Le « Namagashi » est une sorte de « Wagashi » **moelleux fabriqu**
p.103 下から2行目	Les techniques de la fabrication **différent** selon	Les techniques de la fabrication **diffèrent** selon ......
p.123 最終行	Les Japonais adorent se rassembler et **organier** un banquet	Les Japonais adorent se rassembler et **organiser** un banquet ...
p.127 1行目	Selon cette légende, ... se voir seulement **qui une** fois par an, le	Selon cette légende, ... se voir seulement **qu'une** fois par an, le 7
p.129 最終行	« Oséïbo » désigne le fait d'**offir** des	« Oséïbo » désigne le fait d'**offrir** des ......
p.133 4行目	Dans une pièce traditionnelle, on s'**asseoit** par terre.	Dans une pièce traditionnelle, on s'**assoit** par terre.
p.133 5行目	Dans une pièce traditionnelle, ... on s'**asseoit** par terre.	Dans une pièce traditionnelle, ... on s'**assoit** par terre.
p.153 1行目	Le **kabuki** développé à Osaka	Le **Kabuki** développé à Osaka ......
p.163 下から4行目	Il **exite** plusieurs rituels à respecter.	Il **existe** plusieurs rituels à respecter. ......
p.165 4行目	Les bases du Kadô de l'école Ikénobo ont **été par**	Les bases du Kadô de l'école Ikénobo ont **été fondées par** ......
p.177 下から2行目	Sur le « Dohyô », ... dans leurs **mais** pour saluer les dieux.	Sur le « Dohyô », ... dans leurs **mains** pour saluer les dieux.
p.181 柔道 見出し	**Judo**	**Le Judo**
p.183 7行目	Ce qui fait la **partidularité** dans le karaté, c'est la rapidité.	Ce qui fait la **particularité** dans le karaté, c'est la rapidité. ......
p.189 7行目	La préfecture de Tokyo ...... de 14 000 000 **habitants**.	La préfecture de Tokyo ...... de 14 000 000 **d'habitants**.
p.189 下から6行目	14 000 000 **personnes** habitent	14 000 000 **de personnes** habitent ......
p.191 1行目	9 700 000 personnes ...... 35 600 000 **d'habitants**.	9 700 000 personnes ...... 35 600 000 **habitants**.
p.193 最終行	Au 18ème siècle, Edo était non seulement **a** ville la plus	Au 18ème siècle, Edo était non seulement **la** ville la plus ......
p.213 上から3行目	Autrefois, on **appellait** le Kansaï « Kamigata ».	Autrefois, on **appelait** le Kansaï « Kamigata ». ......
p.247 1行目	À Kanazawa, on peut voir des objets d'**aritisanat** raffinés.	À Kanazawa, on peut voir des objets d'**artisanat** raffinés.
p.255 下から5行目	Mis à part **la** Tôdaï-ji, à Nara, ...	Mis à part **le** Tôdaï-ji, à Nara, ...
p.271 6行目	Le pélerinage de Henro est **populaires** auprès des Japonais ; ...	Le pélerinage de Henro est **populaire** auprès des Japonais ; ...
p.279 佐賀 3つ目	Le sud du **départements** de Saga	Le sud du **département** de Saga ......
p.279 佐賀 4つ目	Au nord du **départements** de Saga, ...	Au nord du **département** de Saga, ...
p.281 5行目	Le volcan **ungendaké** se situe dans la péninsule de Shimabara.	Le volcan **Unzendaké** se situe dans la péninsule de Shimabara.
p.285 4行目	L'archipel d'Amami, ... appartient également **Kagoshima**.	L'archipel d'Amami, ... appartient également **à Kagoshima**.
p.285 5行目	L'île de Tanégashima est connue pour **abiter** le centre	L'île de Tanégashima est connue pour **abriter** le centre ......

フランス語

Les Chinois ne comprennent pas la lecture « On-Yomi » qui a été introduite dans la langue japonaise il y a plus de 1 700 ans.

En plus des Kanji, les Japonais utilisent les Katakata et les Hiragana.

Les Japonais ont créé les Katakana et les Hiragana qui sont des phonogrammes originaux.

Les Katakana et les Hiragana se sont répondus vers le 9ème – 10ème siècle.

Les Katakana et les Hiragana ont été créés en se référant aux écritures des Kanji.

Les Hiragana s'utilisent comme lettres qu'on utilise tous les jours.

Les Hiragana s'utilisent comme lettres qu'on utilise tous les jours alors que les Katakana sont utilisés pour écrire les mots d'origine étrangère.

Autrefois, on utilisait les Katakana pour des documents officiels. On les utilise maintenant pour écrire des mots d'origine étrangère.

Les Japonais utilisent à la fois des Kanji, les katakana et les Hiragana quand ils écrivent.

Les Japonais ont introduit des mots d'origine étrangère et les ont transformés à la japonaise au fur et à mesure de leur histoire.

Autrefois, un nombre important de mots a été introduit de Chine et ont été incorporés dans la langue japonaise.

Les mots et expressions importés sont appelés « Gaïraïgo ».

Les mots d'origine étrangère se sont incorporés à la structure grammaticale japonaise.

Les mots d'origine étrangère sont écrits en Katakana, et prononcés à la japonaise.

\ちょこっと/

知っておきたいフランスのこと①

ダイジェスト版フランス語の成り立ち

フランスの公用語は「フランス語」です。「何を当たり前なことを……」と思われるかもしれませんが、実は“フランス語”が国民の共通語になったのは比較的新しいことなのです。一般的に英語よりもフランス語の方が学ぶのが難しいと思われがちですが、実は文字の読み方などは英語より法則性があって修得しやすいのもこの「若さ」のおかげです。

地域言語強し

今日も研究が続けられているくらい、フランスとフランス語の起源には諸説があります。今の時点でわかっているのは、様々な民族・部族が侵略と定住を繰り返したため、複数の言語が混ざり合ったということです。なかでも古代ローマ帝国の言葉であるラテン語（そしてギリシャ語）とゲルマン語の影響はのちのフランス語の形成に色濃く残されています。

また民族・部族が居住地として定住した地域ごとに話される言葉が異なっていたのも自然なことでしょう。同じ部族の出身でも定住地が異なると言葉も異なる、ということは珍しいことではありません。それが後の「パトワ語（俚言，方言または地域／特定の民族言語）」、今では「地域言語 langue régionale」と呼ばれるものです。フランスの旧植民地や現海外自治領の言語も含まれます。

単一国家のための単一言語を！

地域言語は政府の言語政策によって長い間冷遇されていましたが、フランス文化の重要な一面であることが再認識され、今ではバカロレア（高等学校教育の修了を認証する国家試験）で、（若干の縛りはあるものの）現用言語として外国語と同等の試験科目として認定されています。

学校にもよりますが、バスク語、ブルトン語、カタロニア語、コルス（コルシカ）語、オクシタン語、ラングドック語、アルザス（アルザス・ロレーヌ）語、オック語、ガロ語、タヒチ語、メラネシア語、ウォリス・フツナ語を学ぶことか教科認定を受けることが可能です。

日本と同様に地域言語は長い年月をかけ、段階を経て「統一フランス語」に編纂されていきます。どのくらい長いか、ですか？　20世紀初頭までかかりました。

日本を楽しむ

日本の世界遺産

日本の魅力

日本の今を楽しむ

日本食を楽しむ

世界遺産マップ

日本の世界遺産は25ヵ所で、そのうち5ヵ所（屋久島、白神山地、知床、小笠原諸島、奄美・沖縄）が、自然遺産に登録されています。

福岡・佐賀・長崎・熊本・鹿児島・山口・岩手・静岡
明治日本の産業革命遺産—製鉄・製鋼，造船，石炭産業
☞ Sites de la révolution industrielle Meiji p.45

日本の世界遺産

日本の世界遺産の登録数は、25件で世界11位です。一方、フランスは世界４位で、文化遺産が44件と自然遺産が7件、複合遺産が１件の計52件の世界遺産があります。

概要

□ 日本にはユネスコの世界遺産が25ヵ所あります。自然遺産が5ヵ所で、文化遺産が20ヵ所です。

知床

□ 知床半島では、素晴らしい自然と野生生物を見ることができます。

□ 知床半島はその美しい自然と野生生物が認められ、世界遺産に認定されています。

白神山地

□ 青森と秋田の境に白神山地はあり、野生ブナ林と山が世界遺産に認定されています。

□ 白神山地は、貴重なブナ林で覆われた山と自然で、ユネスコの世界遺産に認定されています。

日光の社寺

□ 日光には山、湖、有名な社寺があり、よく知られた国立公園で世界遺産にも指定されています。

□ 日光は栃木県にあり、徳川幕府の初代将軍である徳川家康を祀る東照宮のほかに、その自然の豊さでも有名です。

Track 03

La généralité

Au Japon, 25 sites japonais sont inscrits au patrimoine mondial de l'UNESCO. 5 sont inscrits comme biens naturels, et 20 comme biens culturels.

La presqu'île de Shirétoko

Sur la presqu'île de Shirétoko, on peut observer une nature merveilleuse avec ses animaux sauvages.

La presqu'île de Shirétoko est inscrite au patrimoine mondial pour la beauté de sa nature et ses animaux sauvages.

Shirakamisanchi

Le Shirakamisanchi se situe aux frontières des départements d'Aomori et d'Akita. Ces montagnes recouvertes par une forêt vierge des hêtres du Japon ont été inscrites au patrimoine mondial de l'UNESCO.

Le Shirakamisanchi a été inscrit au patrimoine mondial de l'UNESCO pour ses montagnes recouvertes par une forêt vierge de hêtres du Japon.

Sanctuaires et temples de Nikkô

Le site de Nikkô est inscrit au patrimoine mondial : il y a un parc national très célèbre avec son lac, ses montagnes et des temples et des sanctuaires très connus.

Nikkô se trouve dans le département de Tochigi. Le site abrite le sanctuaire Tôshô-gû, où est vénéré son fondateur le premier Shôgun Tokugawa Iéyasu, mais aussi pour la richesse de sa nature.

白川郷と五箇山

□ 白川郷と五箇山は、伝統的な急勾配の茅葺き屋根の家が保存されていることから、世界遺産に指定されています。

□ 白川郷や五箇山周辺には、急勾配の茅葺き屋根の集落が点在しています。

熊野古道

□ 紀伊半島にある熊野古道は、古くからの巡礼の道で、ユネスコ世界遺産に登録されています。

□ 熊野古道は、紀伊半島の深い森や谷に点在する隠れた社寺と伊勢神宮を結んでいます。

古都京都

□ 寺、神社、古民家、そして昔ながらの雰囲気が残る京都は、世界でも最も有名な世界遺産です。

□ 京都はかつての日本の首都というだけではありません。伝統工芸や儀式の中心地でもあるのです。

古都奈良

□ 奈良とその周辺には古代からの寺が残っており、ユネスコの世界遺産に登録されています。

□ 奈良は、古代シルクロードの終点であることから、世界遺産に登録されています。

□ 奈良周辺には、インド、中国、さらには古代西洋人の影響を受けて1000年以上前にできた村が点在しています。

法隆寺

□ 法隆寺周辺は、ユネスコの世界遺産に登録されています。法隆寺が大陸の影響を受けた世界最古の木造建築だからです。

Les sites de Shirakawagô et Goka-yama

Les sites de Shirakawagô et Goka-yama sont inscrits au patrimoine mondial de l'UNESCO pour leurs maisons traditionnelles aux toits de chaume en pente raide.

Dans la région de Shirakawagô et aux environs de Goka-yama, il y a plusieurs villages avec des maisons traditionnelles aux toits de chaumes en pente raide.

Le route Kumano Kodô

La route « Kumano Kodô » est un très ancien chemin de pélerinage. Elle est inscrite au patrimoine mondial de l'UNESCO.

La route « Kumano Kodô » relie les sanctuaires et temples cachés dans la forêt profonde de la péninsule de Kii avec le grand sanctuaire Isé-Jingû.

L'ancienne capitale Kyoto

Connue dans le monde entier pour son ambiance du temps jadis et pour ses temples, sanctuaires et maisons anciennes, la ville de Kyoto est le plus célèbre site japonais inscrit au patrimoine mondial.

Kyoto est non seulement une ancienne capitale du Japon, mais elle est encore aujourd'hui le centre des arts traditionnels et des cérémonies au Japon.

L'ancienne capitale Nara

On trouve de nombreux temples très anciens dans la ville de Nara et ses environs. Elle est inscrite sur la liste du patrimoine mondial de l'UNESCO.

La ville de Nara est inscrite sur la liste du patrimoine mondial de l'UNESCO car elle était le le point d'arrivée de la Route de la Soie.

Il existe encore autour de Nara des villages vieux de plus de mille ans, où l'on retrouve des influences venues d'Inde, de Chine, ou de l'Occident antique.

Le temple Hôryû-ji

Le temple Hôryû-ji et ses environs sont inscrits au patrimoine mondial de l'UNESCO, car c'est le temple en bois le plus ancien du monde, et son architecture a subi l'influence des techniques venues du continent.

□ 法隆寺とその周辺を斑鳩(いかるが)と呼び、ここは7世紀初頭、聖徳太子が日本を治めた地でもあります。

姫路城

□ 姫路城はその美しいたたずまいで知られ、世界遺産となっています。

□ 現存する大天守は17世紀に建築されたもので、その美しさと優雅な姿から、白鷺城(しらさぎじょう)とも呼ばれます。

広島平和記念公園

□ 平和記念公園は、原爆が落とされた広島の中心部にあり、世界遺産になっています。

□ 平和記念公園には、原爆ドームとよばれる原爆被害を受けた建物と、原爆資料を展示したミュージアムがあります。

石見銀山

□ 石見銀山とその周辺は、2007年に世界遺産に登録されました。

□ 石見銀山は、開発された16世紀当時、世界最大の銀山でした。鉱山だけでなく、周囲の町や建物などもよく保存されています。

厳島神社

□ 12世紀にできた厳島神社は、神道で神聖な場所とされる宮島の海辺に建立されました。

□ 広島の西に位置する厳島神社は、1996年に世界遺産に登録されました。

屋久島

□ 屋久島は、鹿児島県沖の南西諸島の一部です。自生のスギや険しい山などが、1993年に世界遺産に登録されました。

Le temple Hôryû-ji et ses environs sont appelés « Ikaruga ». Au début du 7ème siècle, le seigneur nommé « Shôtoku Taïshi » a régné sur le Japon depuis cette région.

Le Château de Himéji

Le Château de Himéji, célèbre pour sa beauté, est inscrit au patrimoine mondial de l'UNESCO.

La grande tour principale existante a été construite au 17ème siècle. Le Château de Himéji est aussi appelé « Shirasagui-jô (Château du Héron blanc) » pour sa beauté et son élégance.

Le parc Mémorial de la paix

Le parc du Mémorial de la paix se trouve au centre de la ville d'Hiroshima, où la bombe atomique a explosé. Il est inscrit au patrimoine mondial de l'humanité.

Dans le parc du Mémorial de la paix, on trouve le « Gen baku Dome (la coupole qui a survécu à la bombe atomique) » et le musée exposant les archives et documents concernant le bombardement de Hiroshima.

Le site de Iwami ginzan

Le site de Iwami ginzan et ses environs ont été inscrits au patrimoine mondial en 2007.

Iwami ginzan était le plus grand gisement d'argent du monde à l'époque de son développement, au 16ème siècle. La mine, mais aussi les villes alentours, et l'architecture locale, sont particulièrement bien conservés.

Le sanctuaire Itsukushima Jinja

Le sanctuaire Itsukushima Jinja a été fondé au 12ème siècle sur le littoral de l'île de Miyajima, considérée par le shintoïsme comme un endroit sacré.

Le sanctuaire Itsukushima Jinja a été inscrit au patrimoine mondial en 1996.

L'île Yakushima

L'île Yakushima fait partie de l'archipel des îles du sud-ouest de Kagoshima. Ses pins sauvages et ses montagnes escarpées ont été désignés patrimoine mondial en 1993.

□ 屋久島は、貴重な森林、野生生物、山などあらゆるものが小さな島に集中しているという点で、他にはない場所です。

琉球王国のグスク

□ グスクとは沖縄の島々に点在する琉球王国時代の城や遺跡で、中国の影響が見られる見事な建築物です。2000年に世界遺産となりました。

□ 復元された首里城では、かつての独立王朝時代の雰囲気を味わうことができましたが、2019年の火災によって焼失してしまいました。

平泉

□ 平泉とその周辺地域は、古代の仏教寺院によって2011年に世界遺産に登録されました。

□ 平泉は岩手県に位置しています。この町は、平安時代末期、東北地方の中心地として栄えました。中尊寺は9世紀に建てられ、今でも当時の荘厳さを残しています。

小笠原諸島

□ 小笠原諸島は東京の南、約1000kmに点在します。小笠原諸島は独自の自然が残り、太平洋と日本の文化が混在することで知られています。2011年に世界遺産に登録されました。

□ 小笠原諸島は、東京の南の太平洋上に位置しています。その中の一つ、硫黄島は、太平洋戦争の時、激しい戦場となったことで知られています。

富士山

□ 富士山は、日本で17番目の世界遺産です。

□ 富士山は自然だけでなく、信仰や芸術を生み出した山としても価値が認められました。

Une concentration exceptionnelle de fôrets de bois précieux, d'animaux sauvages et de montagnes font de l'île Yakushima un environnement unique.

Les Gusuku du Royaume Ryûkyû

Les « Gusuku » sont les châteaux et les ruines datant de l'époque du royaume des Ryûkyû qu'on peut voir dans de divers endroits des îles d'Okinawa. On peut y voir l'influence de l'architecture chinoise. Les Gusku ont été inscrits au patrimoine mondial en l'an 2000.

Le Château de Shuri a été rénové et donnait un aperçu de l'époque où la cour des Ryûkyû était indépendante mais il a disparu à cause d'une incendie survenue en 2019.

Hiraïzumi

Hiraïzumi et ses environs ont été inscrits au patrimoine mondial en 2011 grâce aux anciens temples bouddhistes qui s'y trouvent.

Hiraïzumi se situe dans le département d'Iwaté. Cette ville a prospéré comme centre de la région de Tôhoku (Nord-Est) à la fin de l'ère Héïan. Le Temple Chûson-ji, fondé au 9ème siècle, est le témoin de la gloire de l'époque.

Les archipels d'Ogasawara

L'archipel d'Ogasawara se trouve au sud de Tokyo, à 1 000 km de la capitale. On y trouve de nombreuses espèces naturelles uniques. Sa culture mêle de manière remarquable des éléments de culture japonaise et du Pacifique. Ses îles ont été inscrites au patrimoine mondial en 2011.

L'archipel d'Ogasawara se trouve dans l'Océan Pacifique, au sud de Tokyo. L'une de ses îles, Iwojima, a été le lieu d'une bataille féroce durant la Seconde Guerre Mondiale.

Le Mont Fuji

Le Mont Fuji (« Fuji san » en japonais) est le 17ème site japonais inscrit au patrimoine mondial.

Le Mont Fuji a été reconnu non seulement comme site naturel, mais aussi pour l'influence qu'il a eu sur beaucoup d'artistes, et pour les croyances auxquelles il a donné naissance.

富岡製糸場

□ 富岡製糸場は、日本初の本格的な機械製糸の工場です。

□ 富岡製糸場は、1872年の開業当時の様子がよく保存されています。

明治日本の産業革命遺産

□ 幕末から明治にかけて日本が急速な産業化を成し遂げたことを示す遺産群です。遺産は8つの県に点在しています。

□ 製鉄・製鋼業、造船業、石炭産業は日本の基幹産業です。

ル・コルビュジエの建築作品

□ ル・コルビュジエはパリを拠点に活躍した建築家です。日本からは国立西洋美術館の建築が世界遺産に登録されました。

□ 国立西洋美術館は東京の上野公園にあり、西洋美術を専門とする日本で唯一の国立美術館です。

宗像・沖ノ島と関連遺産

□ 福岡県にある沖ノ島や関連する史跡群は、自然崇拝を現代まで継承している点が評価されて、世界遺産になりました。

□ 沖ノ島は、島そのものが神として崇拝されているため、特別な許可がない限り上陸することはできません。

長崎と天草地方の潜伏キリシタン関連遺産

□ 長崎県と熊本県の天草地方には「潜伏キリシタン」の遺産が多く残っています。

□ 「潜伏キリシタン」とは、かつて禁止されていたキリスト教の信仰を密かに守り続けた人々のことです。

Le Tomioka Seïshijô

Le « Tomioka Seïshijô » est la première filature de soie mécanique créée au Japon.

Le « Tomioka Seïshijô » a été parfaitement conservé depuis son ouverture en 1872.

Sites de la révolution industrielle Meiji

Ces sites sont la peuve que le Japon est parvenu à une industrialisation rapide entre le Bakumatsu (la fin du shogunat Tokugawa) et l'ère Meiji. On les trouve dans 8 départements.

La sidérurgie, la construction navale et l'extraction du charbon sont les pilliers de l'insdrustrie japonaise.

Les travaux architecturaux de Le Corbusier

Le Corbusier est un célèbre architecte dont la base d'activité était Paris. Le Musée national de l'art occidental fait partie des œuvres architecturales classées au patrimoine mondial.

Le Musée national de l'art occidental se trouve dans le parc de Uéno à Tokyo. Il est le seul musée national spécialisé à l'art occidental.

Sites de la région de Munakata et de l'île sacrée d'Okinoshima

Okinoshima (département de Fukuoka) et ses sites historiques ont été inscrits au patrimoine mondiale pour son héritage des rituels religieux jusqu'à nos jours.

L'île d'Okinoshima entière est objet de vénération. Sans une autorisation spéciale, son accès est interdit au public.

Sites Chrétiens cachés de la région de Nagasaki et d'Amakusa

Il existe de nombreux sites des chrétiens cachés dans le département de Nagasaki et dans la région d'Amakusa (département de Kumamoto).

Les chrétiens cachés sont des pratiquants clandestins de la foi chrétienne au Japon pendant la pendant toute la période d'interdiction du christianisme.

百舌鳥・古市古墳群

□ 大阪府にある大小さまざまな形をした49基の古墳は、2019年に世界遺産に登録されました。

□ 古墳とは、日本の古代につくられたお墓のことで、埋葬された人の身分によってその大きさや形が異なります。

奄美・沖縄

□ 鹿児島県の奄美大島と徳之島、沖縄県の沖縄本島の北部と西表島の４島が世界遺産に登録されました。

□ 多様な生物の生息地として評価された４つの島には、絶滅危惧種に指定されている生物もいます。

北海道・北東北の縄文遺跡群

□ 北海道、青森、岩手、秋田にある縄文時代の遺跡群が2021年に世界遺産に登録されました。

□ これらの遺跡は縄文時代の集落で、狩りや漁、植物の採集によって定住していた当時の人々の生活と精神文化を示しています。

青森県の三内丸山遺跡

Les Kofuns (tumulus) de Mozu et de Furuichi

Le groupe de 49 tumulus dont les ampleurs et formes varient a été inscrit au patrimoine mondial en 2019.

Un Kofun est un monument funéraire qui a été fondé dans la période antique du Japon. Sa forme et son ampleur dépendent du statut social de la personne inhumée.

Les Îles d'Amami et d'Okinawa

Les Îles Amamioshima, Tokunoshima (département de Kagoshima), la région nord de l'Île principale d'Okinawa et l'Île d'Iriomoté ont été inscrites au patrimoine mondial.

Ces quatre îles ont été reconnues pour la diversité des espèces vivantes dont certaines sont désignées comme espèces en voie de disparition.

Sites préhistoriques Jomon à Hokkaïdo et dans le nord du Japon

Les sites préhistoriques se trouvant à Hokkaïdô, Aomori, Iwaté et Akita ont été inscrits au patrimoine mondiale en 2021.

Ces sites sont des peuplements de l'ère Jomon qui montrent la vie et la spiritualité des personnes de l'époque vivant des chasses, des pêches et des cueillettes.

日本の温泉と旅館

Japanische *Onsen* und Ryokan

主な温泉地

- ❶ 登別　Noborïbetsu
- ❷ 酸ケ湯　Sukayu
- ❸ 花巻　Hanamaki
- ❹ 蔵王　Zaô
- ❺ 秋保　Akiu
- ❻ 飯坂　Iïzaka
- ❼ 鬼怒川　Kinugawa
- ❽ 四万　Shima
- ❾ 伊香保　Ikaho
- ❿ 草津　Kusatsu
- ⓫ 箱根　Hakoné
- ⓬ 熱海・湯河原　Atami, Yugawara
- ⓭ 修善寺　Shuzenji
- ⓮ 別所　Bessho
- ⓯ 奥飛騨　Okuhida
- ⓰ 和倉　Wakura
- ⓱ 下呂　Géro
- ⓲ 城崎　Kinosaki
- ⓳ 有馬　Arima
- ⓴ 湯の峰　Yunominé
- ㉑ 道後　Dôgo
- ㉒ 別府・湯布院　Beppu, Yufuïn
- ㉓ 黒川　Kurokawa
- ㉔ 指宿　Ibusuki

（☞Onsen, *p.53*）

le bain
風呂 大浴場

grande salle de bains publique
大浴場

le ryokan, auberge japonaise
旅館

l'équipe de l'auberge
旅館のスタッフ

(☞ Ryokan *p.55*)

Bantô, celui qui aide la patronne.
番頭

Ryôrinin, les cuisiniers
料理人

Okami, la patronne, souvent propriétaire ou membre de famille propriétaire.
女将

Nakaï gashira, la chef fe des serveuses
仲居頭

Nakaï, les serveuses qui sont aussi les bonnes de chambre
仲居

la chambre
部屋

le repas
食事

le dîner
夕食

日本の家屋

（☞ Maison traditionnelle japonaise *p.57*）

Une maison traditionnelle japonaise

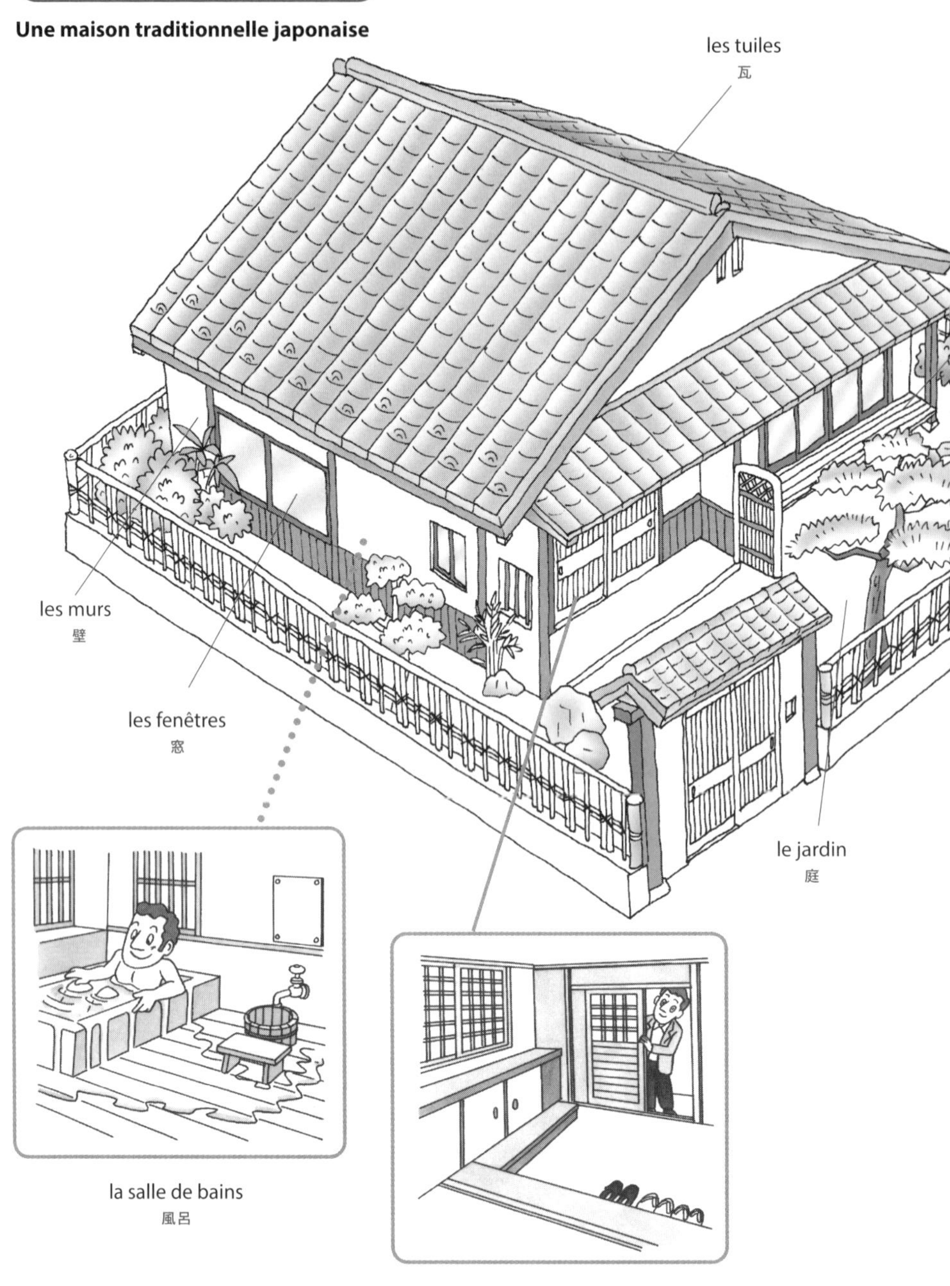

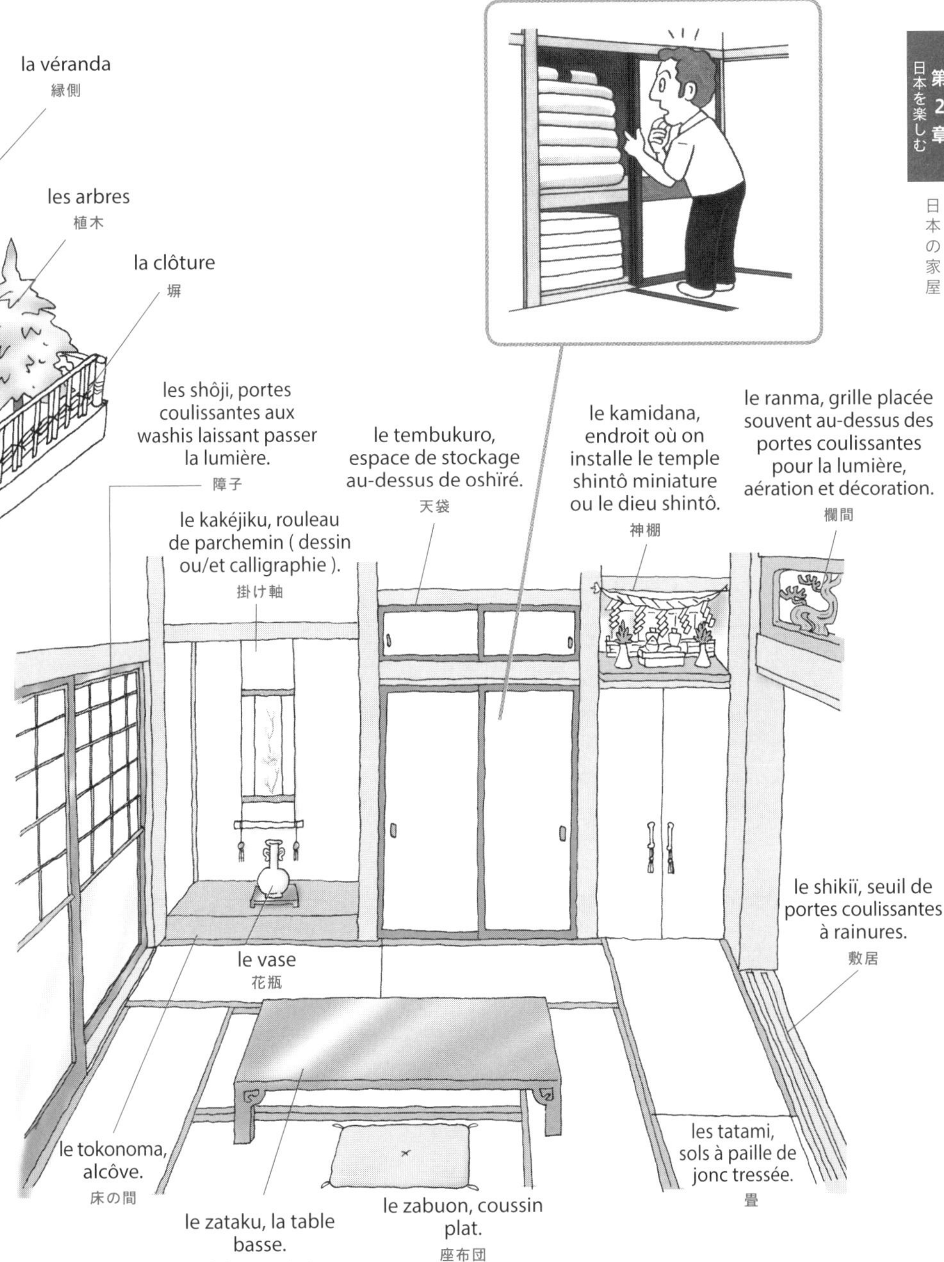
le oshiïré, placard.
押入れ
la véranda
縁側
les arbres
植木
la clôture
塀
les shôji, portes coulissantes aux washis laissant passer la lumière.
障子
le kakéjiku, rouleau de parchemin (dessin ou/et calligraphie).
掛け軸
le tembukuro, espace de stockage au-dessus de oshïré.
天袋
le kamidana, endroit où on installe le temple shintô miniature ou le dieu shintô.
神棚
le ranma, grille placée souvent au-dessus des portes coulissantes pour la lumière, aération et décoration.
欄間
le shikiï, seuil de portes coulissantes à rainures.
敷居
le vase
花瓶
le tokonoma, alcôve.
床の間
le zataku, la table basse.
座卓（テーブル）
le zabuon, coussin plat.
座布団
les tatami, sols à paille de jonc tressée.
畳

日本の魅力

日本では全国至るところに温泉があります。温泉宿は、部屋、食事、庭など、日本らしさが満載です。

温泉

□ 日本人は温泉が大好きです。

□ 日本は火山列島なので、至るところに温泉があります。

□ 日本人は、全国各地の温泉を楽しみます。

□ 温泉は日本の至るところにあります。

□ 温泉は日本の至るところにあります。温泉は山間の渓谷だけでなく、海岸沿いにもあります。

□ 温泉保養地を訪れると、日本の都市部にはない落ち着いた地域色を感じるでしょう。

□ 温泉は健康維持のために日本人に楽しまれています。というのも、温泉には地域によって様々な種類のミネラルが含まれているからです。

□ 多くの場合、旅館に泊まって温泉を楽しみます。

□ 温泉は旅館の中にもあります。すなわち、旅館で温泉に入浴できるのです。

□ 体を癒すために長期にわたって温泉地に滞在する人もいます。

南紀勝浦の温泉風景

Track 04

湯布院の露天風呂

Onsen: Sources thermales

Les Japonais ont une passion pour les sources thermales.

Comme le Japon est un archipel volcanique, on y trouve des sources thermales un peu partout.

Les Japonais voyagent dans tout le pays pour profiter des sources thermales.

Les sources thermales se trouvent partout au Japon.

Les stations thermales se trouvent partout au Japon. On en trouve aussi bien dans les vallées des chaînes de montagne que sur les côtes.

Quand on visite une station thermale, on est plongé dans une atmosphère paisible et détendue qui n'existe pas dans les villes japonaises.

Les Japonais aiment se baigner dans les sources thermales pour des raisons de santé. Elles contiennent en effet divers types de minéraux bénéfiques selon les régions.

Dans de nombreux cas, on séjourne dans une auberge pour s'adonner au thermalisme.

On trouve aussi des sources dans les auberges. On peut donc se baigner dans la source thermale de l'auberge.

Certaines personnes séjournent longtemps dans une station thermale pour se soigner.

□ 湯治とは、病気を治すために長期間温泉地に滞在することです。

□ 東京のような都市では、銭湯という公衆浴場があります。

旅館

□ 旅館は伝統的な日本の宿泊所です。

□ 旅館では伝統的な和室でくつろぐことができます。

□ 多くの旅館では、夕食と朝食は（宿泊費に）含まれています。

□ 一般的に、旅館では伝統的な日本食が振る舞われます。

□ 旅館の中には、伝統的な和風建築で建てられたものや、日本庭園があるものもあります。

□ 多くの旅館には温泉があります。

□ 午後、旅館にチェックインしたら、温泉に入ったり散策してから、酒やビールで夕食を楽しむことができます。

□ ほとんどの場合、旅館では伝統的な日本の寝具である布団で寝ます。

□ 布団は旅館の従業員が部屋に敷きます。

□ 夕食を終えてから温泉や散策を楽しむこともできます。部屋を出ている間に、布団を敷いてくれます。

□ ほとんどの旅館では、朝食前に布団を片付けます。

□ 旅館のチェックアウト時間は概して、普通のホテルよりも早いです。

On appelle « Tôji » le fait de séjourner longtemps dans une station thermale pour se remettre d'une maladie.

Dans des villes comme Tokyo, il y a des bains publics que l'on appelle « Sentô ».

Ryokan : Auberge (Hôtel de style traditionnel)

Le ryokan est un hébergement traditionnel japonais.

Dans un ryokan, vous pouvez vous détendre dans une chambre traditionnelle.

Dans la plupart des auberges, le dîner et le petit déjeuner sont inclus (dans le prix de la chambre).

En général, dans un ryokan, on sert de la cuisine traditionnelle.

Il existe des ryokans ayant une architecture traditionnelle, avec un jardin japonais.

Beaucoup de ryokans possèdent une source thermale.

Dans l'après-midi, le check-in fini à l'auberge, vous pourrez faire une promenade ou prendre les eaux. Ensuite, vous pourrez profiter d'un dîner en buvant du saké et de la bière.

Dans la plupart des cas, dans un ryokan, on dort sur un futon, qui est la literie traditionnelle japonaise.

C'est le personnel de l'auberge qui étend les futons dans la chambre.

Vous pouvez vous baigner à la source thermale, même après le dîner. Pendant que vous êtes hors de votre chambre, le personnel étend le futon.

Dans la plupart des ryokan, on range le futon avant le petit déjeuner.

Il faut généralement quitter un ryokan plus tôt que pour un hôtel ordinaire.

□ 主要都市の観光地には、英語の通じる旅館がいくつかあります。

□「素泊まり」とは、食事をつけずに旅館に泊まることです。

日本家屋

□ 伝統的な日本家屋は木造です。

□ 伝統的な日本家屋は、あらゆる箇所を熟練した大工が施工します。

□ 伝統的な家屋を維持するのはとても費用がかかります。

□ もし日本で本格的な日本式の家屋を体験したければ、寺を訪れるか旅館という宿泊施設を利用してください。

□ 京都には町屋という伝統的な日本の商家が多くあります。

畳

□ 伝統的な日本間の床は畳が敷かれています。

□ 畳は柔らかいイ草を織ってつくられます。

□ 畳は日本独特のもので、畳床を柔らかいイ草を織ったもので覆ってつくられています。

□ 畳は暑くて湿気の多い夏に適しています。というのも、織ったイ草は通気がよく、肌触りが涼しいからです。

□ 畳は家の底部を断熱し保温するので、冬にも適しています。

瓦

□ 伝統的な日本家屋の屋根は瓦で覆われています。

Dans les zones touristiques des grandes villes, il y a de nombreuses auberges où on peut communiquer en anglais.

Sudomari veut dire un séjour sans prendre de repas.

Maison traditionnelle japonaise

Les maisons traditionnelles japonaises sont faites en bois.

La maison traditionnelle japonaise est construite par des charpentiers qui maîtrisent toutes les étapes du processus.

Cela coûte très cher d'entretenir une maison traditionnelle.

Si vous voulez faire l'expérience d'un intérieur japonais authentique, vous pouvez visiter un temple bouddhique ou loger dans un ryokan.

À Kyoto, il y a beaucoup de boutiques traditionnelles appelées « Machiya ».

Tatami

Dans la chambre traditionnelle de style japonais, les « Tatami » sont mis sur le plancher.

Le « Tatami » est fait en tressant de la paille de jonc diffus.

Le « Tatami » est un revêtement de sol typique du Japon, constitué d'un matelas recouverts d'une natte de paille tissée en jonc diffus.

Le « Tatami » convient à l'été où le climat est chaud et humide. En effet, la paille de jonc diffus a une bonne ventilation, et est fraîche au toucher.

Le « Tatami » est aussi idéal pour l'hiver car il isole le froid qui monte du sol et maintient ainsi la chaleur de la maison.

Kawara : Tuile Kawara

Le toit de la maison traditionnelle japonaise est couvert de tuiles appelées « Kawara ».

□ 瓦は寺院建築に伴って、中国から伝来しました。

□ 古い日本家屋は古民家と呼ばれ、非常に数が少なく貴重なものです。

襖

□ 伝統的な日本間には襖というスライド式のドアがあります。

□ 襖は和紙という伝統的な日本の紙で覆われています。

押し入れ

□ 多くの日本間には押し入れという収納スペースがあり、襖で仕切られています。

□ 押し入れとは、寝具などを収納するスペースのことで、襖で仕切られています。

障子

□ 障子は伝統的な日本家屋で使われ、部屋と廊下を仕切るものです。

□ 障子とは、木の枠に薄くて白い和紙を貼ったスライド式のドアのことです。

床の間

□ 床の間とは客間にある小さなスペースのことです。

□ 床の間とは客間の壁に特別に設えられた小さなスペースのことで、掛け軸の前に生け花を飾ったりします。

□ 床の間とは茶道が行われる部屋にある小さなスペースのことです。

Le « Kawara » a été transmis de la Chine, en même temps que l'architecture des temples bouddhiques.

Les vieilles maisons japonaises sont appelées « Kominka ». De nos jours, elles sont rares, et de grande valeur.

Fusuma : Porte coulissante

Les pièces de l'intérieur traditionnel japonais ont des portes coulissantes appelées « Fusuma ».

Le « Fusuma » est recouvert de papier japonais traditionnel appelé « Washi ».

Oshiïre : Placard

En général, dans une pièce japonaise, il y a un espace de stockage appelé « Oshiïre », délimité par des portes coulissantes.

Le « Oshiïre » est un placard à literie et à vêtements. Il est fermé de deux portes coulissantes.

Shôji : Porte coulissante

Le « Shôji » est utilisé dans la maison japonaise traditionnelle pour délimiter les pièces et les couloir.

Le « Shôji » est une porte coulissante dont le cadre en bois est couvert de papier japonais blanc et fin.

Tokonoma : Alcôve

Le « Tokonoma » est un petit espace qui se trouve dans la pièce à vivre.

Le « Tokonoma » est un petit espace réservé dans le mur de la pièce à vivre. Il est souvent décoré d'un arrangement floral placé devant un « Kakejiku ».

Le « Tokonoma » est un petit espace situé dans la pièce où se déroule la cérémonie du thé.

茶の間

□ 茶の間とは家族が集まる部屋です。

神棚

□ 茶の間には小さな神社を模した神棚が祀られていることがあります。

□ 囲炉裏のある茶の間もあります。その炉は調理にも使われます。

□ 囲炉裏とは和室に設えられた炉で、木や炭を燃やして暖をとったり、調理するのに使います。

仏間・仏壇

日本の家庭の典型的な仏壇

□ 仏間とは仏教のしきたりに則って祖先に手を合わせる部屋のことです。

□ 多くの伝統的な家屋には仏間があり、そこには仏壇が置かれています。

□ 仏壇とは、伝統的な祭壇のことで、祖先の魂が祀られます。

今の日本家屋

□ 現代の日本家屋の伝統的な日本間は和室と呼ばれます。

□ 現代の日本家屋の伝統的な日本間は和室と呼ばれ、西洋式の部屋は洋室と呼ばれます。

□ 現代の日本の家は、ほとんどが洋室で、伝統的な和室が1～2部屋あります。

日本庭園

□ 日本風の庭は日本庭園と呼ばれます。

□ 日本の多くの寺、旅館、伝統的な家屋には日本庭園があります。

Chanoma

Le « Chanoma » est la pièce où la famille passe du temps ensemble.

Dans les « Chanomas », on trouve souvent un « Kamidana » qui est une sorte de sanctuaire shintô en miniature.

On peut trouver des « Chanomas » munis d'un « Irori » qui est utilisé pour le chauffage et la cuisine.

L'« Irori » est un foyer installé à même le sol dans une pièce de style de japonais, où on brûle du bois et du charbon pour se chauffer et faire la cuisine.

Butsuma / Butsudan

Le « Butsuma » est la pièce où on prie pour ses ancêtres selon le rite bouddhique.

Beaucoup de maisons traditionnelles ont un « Butsuma » où on installe un « Butsudan ».

Le « Butsudan » est l'autel bouddhiste pour honorer les ancêtres.

Maisons japonaises contemporaines

On appelle « Washitsu » les pièces de style japonais.

Les pièces de style japonais s'appellent « Washitsu » et les pièces de style occidental, « Yôshitsu ».

Dans les maisons japonaises contemporaines, la plupart des pièces sont des « Yôshitsus » avec une ou deux pièces « Washitsus ».

Jardin japonais: Nihon-teien

Le jardin à la japonaise s'appelle « Nihon-teien ».

Le « Nihon-teien » se trouve dans beaucoup de temples, d'auberges et de maisons traditionnelles au Japon.

□ 多くの日本庭園には池泉（ちせん）という池があります。

□ 苔と木で覆われた岩や池を配置することは、日本庭園の重要な要素です。

□ 魅力的な日本庭園をつくるためには、形のいい岩や木が必要です。

□ 錦鯉とは大切に育てられた鯉で、色が美しいことで知られています。

□ 錦鯉は伝統的な日本庭園の池によくいます。

□ 枯山水とは、池のない伝統的な日本庭園のことです。

□ 枯山水では石、砂、苔と少しの植物を調和させて、自然を象徴します。

□ 石庭とは究極の、あるいは最小限の枯山水のことです。

□ 坪庭とは日本家屋にある小さな中庭のことです。

□ 坪庭は京都の商家である町屋によく見られる非常に小さな中庭です。

日本三大名園のひとつ、後楽園（岡山市）

Dans la plupart des « Nihon-teiens », il y a un bassin qu'on appelle « Chisen ».

Parmi les éléments essentiels du « Nihon-teien », on retrouve le bassin, des rochers couverts d'arbres et de mousses.

Pour créer un jardin japonais attrayant, il est essentiel d'avoir des rochers et des arbres de forme adéquate.

Le « Nishikigoï » est une carpe élevée soigneusement renommée pour ses belles couleurs.

On trouve souvent des « Nishikigois » dans les bassins installés au sein des jardins japonais traditionnels.

Le « Karésansui » est le jardin japonais traditionnel sans bassin.

Le « Karésansui » représente un paysage de montagnes et de rivières par des pierres, du sable, des mousses et quelques plantes.

Le « Sékitei », ou jardin de pierres, est le karesansui réduit à son essence par un dénuement extrême.

Le « Tsuboniwa » est une petite cour dans la maison japonaise.

Le « Tsuboniwa » est une très petite cour qu'on trouve fréquemment dans les « Machiya », demeures des marchands à Kyoto.

日本の今を楽しむ

あらゆる家電が安価で入手できる日本の量販店は、訪日外国人にも人気のスポットです。伝統品から食品・日常用品がそろう百貨店も勧めてみましょう。

量販店

□ 大都市では量販店という大型店で買い物を楽しむことができます。

□ 特に、家電を扱っている量販店には、電気製品や日用品、薬などあらゆる商品があります。

□ 東京では、主要駅の周辺に家電を扱う量販店があります。

□ 特に、東京の秋葉原には、家電を扱う量販店が多くあります。

□ 量販店には、ビックカメラ、ヤマダ電機、ベスト電器、ヨドバシカメラ、ソフマップなどがあります。

秋葉原

□ 大都市には、文具や目新しい商品を扱う量販店があります。

□ ハンズやロフトといった大型店では、外国人に人気の文房具やオリジナル商品を売っています。

百貨店

□ 百貨店では、伝統的な和物から日常生活用品まで、あらゆるものを扱っています。

□ 日本の百貨店の地下は食品売り場になっており、特産品なども売っています。

Track 05

Ryôhanten

Dans les grandes agglomérations, on peut se plaire à faire ses courses dans de très grands magasins appelés « Ryôhanten ».

Notamment dans les « Ryôhanten » spécialisés dans l'électroménager, on y trouve non seulement tous types d'appareils électronique, mais aussi toutes sortes de choses allant des objets quotidiens aux médicaments.

A Tokyo, on trouve des « Ryôhanten » d'électroménager à proximité de toutes les grandes gares.

Il y a notamment beaucoup de « Ryôhanten » spécialisés dans l'électroménager dans le quartier d'Akihabara à Tokyo.

Parmi les « Ryôhanten » les plus connus, on peut citer, <Bic-camera>, <Yamada-denki>, <Best-denki>, <Yodobashi-camera> ou <Sofmap>.

Dans les grandes villes, il y a des « Ryôhanten » qui vendent toutes sortes de gadgets et de fournitures de bureau.

Les magasins à grandes surfaces comme <Hands> et <Loft> vendent beaucoup de fournitures de bureau ou de gadgets très appréciés des touristes étrangers.

Hyakkaten : les grands magasins

« Hyakkaten (les grands magasins) » vendent toutes sortes de produits allant des objets traditionnels japonais aux ceux d'usage quotidien.

Au sous-sol des grands magasins, il y a des rayons d'alimentation.

日本橋の老舗デパート

□ 日本の百貨店の食品売り場に行くと、特産品の他、日本酒などのアルコール飲料も売っています。

新幹線・鉄道

□ 列車で日本を旅するのは楽しいものです。

□ 新幹線とは日本の高速列車の名前です。

□ 日本のほとんどの主要都市には新幹線という高速列車で行くことができます。

□ 新幹線はその姿形からよく弾丸列車と呼ばれます。

□ 新幹線は時速300キロで走ります。

□ 新幹線は時速300キロで走ります。たとえば、東京と福岡を約5時間で結びます。

□ 1964年に導入されて以来、全国の新幹線網は拡大しています。

□ 新幹線網は南は九州の主要都市である鹿児島から、北は北海道まで延びています。

□ 日本を賢く楽しむには新幹線とローカル線を利用することです。乗り換えも便利です。

□ 新幹線とローカル線を利用すれば、ほとんど全国どこへでも行けます。

□ 新幹線には各駅に停車するものと、主要駅だけに停車するものがあります。

□ 東京から関西、九州方面へ行くには、のぞみという新幹線がもっとも速いです。[ひかりや各駅に停まるこだまもあります。]

Aux rayons d'alimentation, vous pouvez acheter outre les spécialités régionales, des boissons alcoolisées comme le saké.

Shinkansen et chemin de fer

Au Japon, voyager en train est un plaisir.

Le « Shinkansen » est le nom du TGV japonais.

On peut accéder à presque toutes les villes principales du Japon en « Shinkansen ».

La forme du « Shinkansen » lui a valu le surnom de « Dangan Ressha (Bullet train) ».

Le « Shinkansen » roule à une vitesse de 300 km/heure.

Le « Shinkansen » roule à une vitesse de 300 km/heure. Par exemple, il relie Tokyo et Fukuoka en cinq heures.

Depuis son inauguration en 1964, le réseau du « Shinkansen » continue à se développer dans tout le Japon.

Les réseaux de « Shinkansen » s'étendent du sud au nord du Japon, de la ville de Kagoshima (ville principale de Kyûshû) jusqu'à Hokkaïdô.

Bien utiliser les « Shinkansen » et les lignes locales est la meilleure manière de se déplacer dans le Japon. Les correspondances sont aussi très pratiques.

En utilisant les « Shinkansen » et les lignes locales, on peut aller presque partout dans le Japon.

Il existe deux sortes de « Shinkansen » : l'express qui ne s'arrête qu'aux gares principales et le local qui dessert toutes les gares.

Pour aller dans la région ouest du Japon et à Kyûshû depuis Tokyo, le moyen le plus rapide est de prendre le « Shinkansen » appelé « Nozomi ». [Il y a aussi les « Shinkansen » appelés « Hikari » et les « Kodama » qui s'arrêtent à plus de gares.]

□ 東京から東北、北海道方面へ行くには、はやぶさという新幹線が一番速いです。その他に多くの各駅停車も利用できます。

□ 東京から京都や大阪へ行きたいときは新幹線がおすすめです。

□ 東京、名古屋、京都、大阪間を移動するときは、新幹線を利用するのが便利です。

□ 東京、名古屋、京都、大阪間を行き来するには、新幹線が便利です。各都市間を15分間隔で運行しています。

□ 混雑する時期を除けば、普通は駅に行って切符を買い、座席の予約なしでも新幹線に乗ることができます。

□ 日本人にとって新幹線は、旅するときの便利な移動手段であるだけでなく、海外への重要な輸出技術となっています。

□ 台湾は、海外で初めて日本の新幹線技術を導入して、高速列車システムを構築しました。

□ 日本の新幹線は、フランスのTGVやドイツのICEのようなものです。

Pour aller de Tokyo dans la région nord-ouest du Japon et à Hokkaïdô, le moyen le plus rapide est de prendre le « Shinkansen » appelé « Hayabusa ». On peut aussi utiliser beaucoup d'autres trains locaux.

Nous vous conseillons d'utiliser le « Shinkansen » pour aller de Tokyo à Kyoto ou Osaka.

Il est très pratique d'utiliser les « Shinkansen » pour se déplacer entre les villes de Tokyo, Nagoya, Kyoto et Osaka.

Le « Shinkansen » est très pratique pour se déplacer entre les villes de Tokyo, Nagoya, Kyoto et Osaka, car entre ces villes, il en passe un toutes les quinze minutes.

En dehors de la haute saison, en général, on peut acheter un billet à la gare et prendre tout de suite le « Shinkansen » sans réservation.

Pour les Japonais, le « Shinkansen » n'est pas un simple moyen de transport pratique mais aussi une importante technologie à exporter.

Taïwan est le premier pays à avoir introduit du Japon la technologie utilisée pour le « Shinkansen » pour constituer le système de TGV taïwanais.

Le « Shinkansen » est l'équivalent du TGV français ou ICE allemand.

日本食を楽しむ

(☞ Sushi *p.75*)

Apprécier la cuisine japonaise

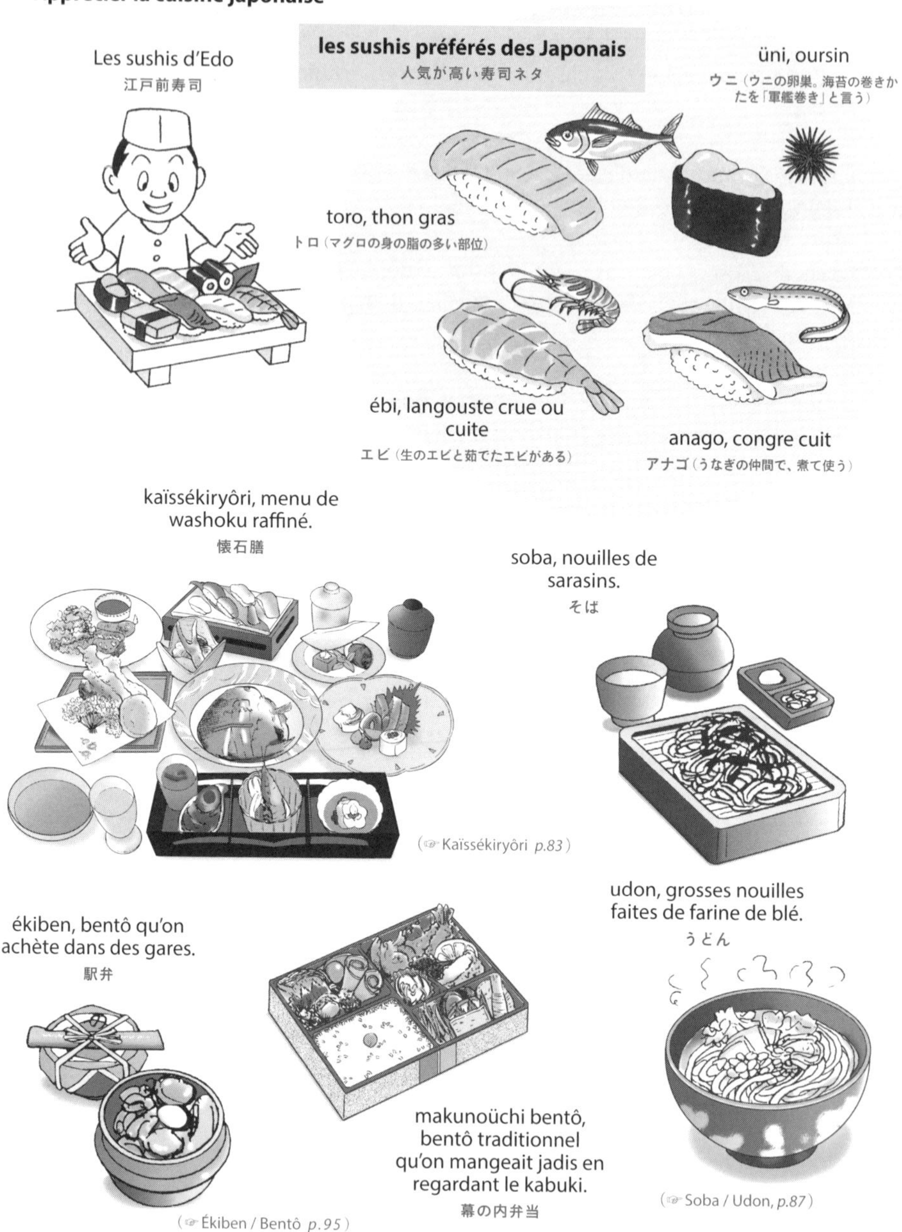

yosénabé, sorte de bouillabaisse japonaise.
寄せ鍋

（☞Nabé *p.81*）
（☞Sukiyaki / Shabu Shabu *p.79*）

sukiyaki, sorte de fondue japonaise.
すき焼き

odén, pot-au-feu japonais.
おでん

shabu shabu, sorte de fondue japonaise.
しゃぶしゃぶ

yakitori, brochette de poulet grillé.
焼き鳥屋

（☞Yakitori *p.83*）

okonomiyakiya, restaurtant de okonomiyaki.
お好み焼き屋

à la Kanto : les clients les font eux-mêmes.
関東風（客が自分で焼く）

à la Kansaï : le personnel sert.
関西風（店員が焼いてくれる）

（☞Okonomiyaki *p.93*）

日本食を楽しむ

旅の楽しみはなんといっても食事です。和食は、無形文化遺産にも登録され、世界の人にも人気です。寿司だけではない日本食を説明できるようになりましょう。

導入

□ 日本食は寿司だけではありません。

□ 日本食といってもいろいろな料理があります。

□ 寿司だけでも、多くの種類があります。

□ 海外の日本食レストランでは、幅広い日本食を出します。

□ 海外の日本食レストランでは、幅広い種類の日本食を出しますが、日本では違います。

□ 日本のレストランは、店によって専門料理が違います。

□ 日本食は日本語で和食といいます。

□ 日本の食べ物は和食といい、西洋の食べ物は洋食といいます。

刺身

□ 刺身はとても新鮮な生の魚です。

□ 刺身は世界で最も良く知られた日本の魚料理の一つです。

□ 刺身は生の魚を薄く切って、きれいに盛り付けたものです。

□ 刺身はいろいろな魚介でつくります。

Track 06

Généralité

La cuisine japonaise ne se limite pas aux « Sushi ».

La cuisine japonaise est très variée.

Rien que pour le « Sushi », il existe de nombreuses variétés.

Dans les pays étrangers, les restaurants japonais servent des plats très variés.

En général, dans les pays étrangers, les restaurants japonais servent des plats très variés, mais ce n'est pas le cas au Japon.

Au Japon, chaque restaurant est spécialisé.

La cuisine japonaise se dit « Washoku » en japonais.

La cuisine japonaise se dit « Washoku » en japonais et la cuisine occidentale se dit « Yôshoku ».

Sashimi

Le « Sashimi » est un plat de poisson cru très frais.

Le « Sashimi » est un des plats japonais le plus connu dans le monde.

Le « Sashimi » est un plat de poisson cru très frais coupé très finement et présenté d'une façon artistique.

On fait du « Sashimi » avec plusieurs sortes de poissons et fruits de mer.

□ 刺身をつくるには、魚のさばき方や薄く切る技術が必要です。

□ 刺身はわさびと一緒に醬油につけて食べます。

□ 日本の寿司屋で、美味しくて新鮮な刺身を味わうことができます。

□ 刺身には日本語で「つま」という細く切った大根が添えられます。

□ 刺身には日本酒がよく合います。

寿司

□ 寿司は酢飯を使った日本食です。

□ 日本にはいろいろな寿司があり、地域ごとに伝統的な寿司があります。

□ 訪日した外国人がいう寿司は、一般的にはにぎり寿司のことで、寿司の中で最も人気があります。

□ 最も人気がありよく知られているのがにぎり寿司で、世界中の日本食レストランで出されています。

□ にぎり寿司は江戸前寿司ともいわれます。それは、封建時代に東京の旧名であった江戸で進化したからです。

□ にぎり寿司はにぎった酢飯に刺身をのせたものです。

□ ちらし寿司は、酢飯の上に刺身や野菜、キノコ、玉子などの具をのせた寿司のことです。

□ いなり寿司も寿司の一種で、丸めた酢飯を油揚げで包んだものです。

□ 巻物とはのりで巻かれた寿司のことで、中身はマグロやキュウリなどです。

Pour faire du « Sashimi », il faut savoir débiter et couper finement le poisson.

On mange le « Sashimi » avec du « Shôyu (sauce de soja) » et du « Wasabi (raifort japonais) ».

On peut déguster de délicieux « Sashimi » frais dans des « Sushi-ya (restaurant de Sushi) ».

Le « Sashimi » est servi avec du « Tsuma (radis blanc coupé finement) ».

Le mariage du « Sashimi » et du « Saké (alcool de riz) » est excellent.

Sushi

Le « Sushi » est le nom général des plats japonais qui utilisent du riz vinaigré.

Il y a plusieurs variétés de « Sushi » au Japon : chaque région a son « Sushi » traditionnel.

Le « Sushi » que les personnes étrangères connaissent est en général le « Niguirizushi », la sorte la plus populaire de « Sushi ».

Le plus populaire et le plus connu des « Sushi » est le « Niguirizushi ». Il est servi dans les restaurants japonais du monde entier.

On l'appelle aussi « Édomaézushi » car ce plat s'est développé à Édo, ancien nom de Tokyo.

Le « Niguirizushi » est une petite boulette de riz vinaigré sur laquelle on met une tranche de « Sashimi ».

Le « Chirashizushi » est un plat de riz vinaigré sur lequel on met du « Sashimi », des légumes, des champignons et de l'œuf.

Le « Inarizushi » est aussi une sorte de « Sushi ». Le riz vinaigré en petite boulette est mis dans un « Abura agué (fine pâte de soja frit) ».

Le « Makimono » est un « Sushi » enroulé dans une algue séchée. On y met souvent du thon ou du concombre.

- □ 鉄火巻きは巻物の一種で、マグロを使って作ります。
- □ かっぱ巻きは巻物の一種で、キュウリを使って作ります。
- □ 太巻きとは、かんぴょう、椎茸、玉子焼きなどを巻いてつくる寿司の一種です。
- □ 5つ星の寿司屋はとても高いです。
- □ 回転寿司は寿司屋のファストフードで気軽に寿司を味わえます。
- □ 回転寿司では、いろいろな種類の寿司が小さな皿にのって、ベルトの上を廻っています。
- □ 回転寿司では、会計のときに店員がテーブルの上にある皿の枚数を数えます。皿の色によって値段が違います。
- □ 寿司を食べるときは、あまり醤油をつけすぎないように注意しましょう。
- □ 寿司を食べるには、箸を使うことも指でつまむこともできます。
- □ アメリカには、カリフォルニアロールのような巻き寿司がいろいろあります。

Le « Tékkamaki » est une sorte de « Makimono ». On le fait avec du thon.

Le « Kappamaki » est une sorte de « Makimono ». On le fait avec du concombre.

Le « Futomaki » est un plus gros « Makimono ». On enroule du « Kanpyô (calebasse séchée et cuisinée) », des champignons ou des œufs cuits.

Les restaurants de « Sushi » cinq étoiles (critère japonais) sont très chers.

Il exite des « Kaïtenzushi (restaurants de « Sushi » tournants) » où l'on peut aprécier les « Sushi » comme au fastfood.

Dans un restaurant de « Kaïtenzushi (restaurants de « Sushi » tournants) », les « Sushi » sont servis sur de petits plats qui tournent autour du comptoir sur un tapis roulant.

Dans un restaurant de « Kaïtenzushi (restaurants de « Sushi » tournants) », les serveurs comptent le nombre d'assiettes laissées sur la table. Le tarif des « Sushi » est différent selon la couleur des assiettes.

Quand vous mangez des « Sushi », évitez de mettre trop de sauce de soja.

Vous pouvez soit vous servir de vos doigts, soit utiliser les baguettes pour manger les « Sushi ».

Aux États-Unis, il y a un « Makizushi » original qui a été inventé, il s'appelle « California Roll ».

回転寿司店の様子

天ぷら

□天ぷらとは、魚介や野菜を揚げたものです。

□天ぷらは、魚介や野菜を揚げたもので、衣は小麦粉と水でつくります。

□たいていの魚介類は天ぷらにできます。とりわけ、海老の天ぷらはとても人気があります。

□美味しい天ぷらを食べるには、必ず新鮮な材料を使って揚げますが、揚げ過ぎてはいけません。

□天丼は、丼に入ったご飯の上に天ぷらをのせたものです。

□天ぷらは天つゆと一緒に出されます。

□天つゆは、魚だし、醤油、甘口の調理酒であるみりんでつくります。

すき焼き・しゃぶしゃぶ

□すき焼きはテーブルの上で調理する鍋料理です。主な材料は薄く切った牛肉、豆腐、ネギ、キノコ、しらたきです。

□すき焼きは鍋料理で、主な材料は薄く切った牛肉、豆腐、ネギです。浅い鉄鍋に、醤油、砂糖、みりん、酒を加えて調理します。

□すき焼きは別皿に入った生卵につけて食べます。

□しゃぶしゃぶは鍋料理で、主な材料は紙のように薄く切った牛肉です。

□しゃぶしゃぶは鍋料理で、紙のように薄く切った牛肉を、豆腐や野菜などと一緒に食べます。

Tempura

La « Tempura » est un plat de beignets de poissons, de fruits de mer et de légumes.

La « Tempura » est un plat de beignets de poissons, de fruits de mer et de légumes. La pâte est faite avec de la farine et de l'eau.

La plupart des poissons et des fruits de mer peuvent être mangés en « Tempura ». La « Tempura » de langoustine est particulièrement appréciée.

Pour manger de la bonne « Tempura », il faut utiliser des produits frais et surtout ne pas trop les faire frire.

Le « Téndon » est un bol de riz avec de la « Tempura » posée dessus.

La « Tempura » est servi avec le « Téntsuyu (bouillon d'assaisonnement) ».

Le « Téntsuyu » est fait avec un fond de poisson, de la sauce de soja et du « Mirïn (sorte de saké doux) ».

Sukiyaki et Shabu Shabu

Le « Sukiyaki » est un plat cuisiné à table, comme la fondue. Les ingrédients principaux sont des tranches de bœuf finement coupées, du « Tôfu (pâte de soja) », des poireaux, des champignons et du « Shirataki (vermicelles de konjac) ».

Le « Sukiyaki » est un plat cuisiné à table, comme la fondue. Les ingrédients principaux sont des tranches de bœuf finement coupées, du « Tôfu (pâte de soja) » et des poireaux. On les fait cuire dans une pöêle de fer avec de la sauce de soja, du sucre, du « Mirïn » et du « Saké ».

On mange le « Sukiyaki » en trempant chaque ingrédient dans un petit bol d'œuf cru.

Le « Shabu Shabu » est une sorte de fondue japonaise. L'ingrédient principal est la viande de bœuf coupée aussi finement qu'une feuille de papier.

Le « Shabu Shabu » est une sorte de fondue japonaise. L'ingrédient principal est la viande de bœuf coupée aussi finement qu'une feuille de papier qu'on mange avec du « Tôfu » et des légumes.

□ しゃぶしゃぶを楽しむには、薄く切った牛肉を熱い出汁に入れ、たれにつけて食べます。

□ レストランのランクに関わらず、しゃぶしゃぶは客が調理します。

□ 美味しいすき焼きやしゃぶしゃぶの高級店は、和牛を出します。

鍋物

□ おでんは冬に食べる人気の鍋料理です。ゆで卵、大根、さつま揚げ、こんにゃくといった材料を醤油の出汁で煮込んだものです。

□ ちゃんこ鍋は相撲部屋で出される鍋料理です。

□ ちゃんこ鍋はもともと相撲取りによって作られた日本の鍋料理です。多くのお相撲さんが引退後にちゃんこ鍋屋を開きます。

□ 湯豆腐は、鍋に昆布を敷いて、そこに豆腐と水を入れて温めて食べる料理です。

□ 湯豆腐は豆腐を使う鍋料理で、冬の人気料理です。

□ 一般的な鍋料理では、具を食べた後に、残った出汁にご飯やうどんを入れて食べます。

和牛

□ 和牛は柔らかいことで有名です。

□ 和牛とは最高級の日本の牛肉で、柔らかいことで有名です。

□ 神戸と松阪は高品質の和牛で有名です。他にも多くの地域で独自の高級和牛を育てています。

Pour apprécier le « Shabu Shabu », on met le bœuf finement tranché dans un bouillon très chaud, et on le mange avec un assaisonnement.

Quelque soit le rang du restaurant, ce sont les clients qui cuisinent eux-même le « Shabu Shabu ».

Dans de bons restaurants ou des restaurants de luxe de « Sukiyaki » ou de « Shabu Shabu », on vous sert du bœuf japonais.

Nabé Mono

Le « Oden » est une sorte de pot-au-feu japonais très apprécié en hiver. Les ingrédients principaux sont des œufs durs, des radis blancs, des quenelles de poissons et du konjac qui sont cuits dans un bouillon de sauce de soja.

Le « Chankonabé » est une sorte de pot-au-feu servi aux lutteurs de sumo.

Le « Chankonabé » est à l'origine une sorte de pot-au-feu préparé par les sumotori. Beaucoup de lutteurs de sumo à la retraite ouvrent un restaurant de « Chankonabé ».

Le « Yudôfu » est un plat de « Tôfu (Pâte de soja) ». On met de l'algue (Konbu) au fond de la marmite et on place le « Tôfu (Pâte de soja) » pardessus. On y ajoute de l'eau et on mange le « Tôfu » en le réchauffant.

Le « Yudôfu » est une sorte de pot-au-feu avec du « Tôfu (Pâte de soja) » très populaire en hiver.

En général, un « Nabé » s'achève en y ajoutant du riz ou des nouilles dans le restant de bouillon.

Wagyû : les bœufs d'origine japonaise

Le « Wagyû » est connu pour la tendresse de sa viande.

Le « Wagyû » est une viande de bœuf d'origine japonaise de très haute qualité, connue pour la tendresse de sa viande.

Les régions de Kobé et de Matsuzaka sont les deux régions les plus connues pour leurs viandes de « Wagyû ». Il existe beaucoup d'autres régions qui élèvent des « Wagyû » de haute qualité.

焼き鳥

□焼き鳥とは鳥肉を串焼きしたものです。

□焼き鳥には多くの種類があります。鶏は皮や内臓を含め、ほとんどの部位が焼き鳥に使われます。

□鳥肉だけでなく野菜と組み合わせる食べ方もあります。

□焼き鳥は屋台や居酒屋で出されるのがほとんどですが、中には品質にこだわった高級店もあります。

□焼き鳥は、ビールや日本酒とよく合います。

会席・懐石料理

□会席料理とは、高級な和食のフルコースです。

□会席料理の店では、いろいろな日本料理を最も洗練された形で楽しむことができます。

□会席料理は正式な食事で、宴席などで供されます。

□会席料理は決まったコースの中から選びます。単品の注文はできません。

□会席料理の店では、それぞれの料理が一品ずつ順番に出てきます。

□懐石は、最も高級な日本料理の一つです。

□もともと懐石は茶会前に出される料理で、「茶懐石」ともいわれます。

□日本料理は、調理法も種類もさまざまです。

□典型的な料理は、刺身、焼き魚、天ぷら、お吸いもの、野菜の煮物などです。

□日本料理は舌だけでなく目も楽しませてくれます。

Les Yakitori

Les « Yakitori » sont les brochettes de poulet grillé.

Il y a plusieurs sortes de « Yakitori » car presque toutes les parties du poulet sont bonnes à manger.

Il y existe des « Yakitori » combinés avec des légumes.

On sert surtout les « Yakitori » dans des échoppes ou des « Izakaya (Bistro) ». Mais il existe aussi des restaurants de « Yakitori » de haute qualité.

Les « Yakitori » se marient bien avec de la bière ou de « Saké (vin de riz) ».

Kaïssékiryôri (会席・懐石)

Le « Kaïsséki ryôri (会席) » est un menu composé de « Washoku » de haute qualité.

Dans un restaurant de « Kaïssékiryôri (会席) », vous pouvez apprécier les plats les plus raffinés de « Washoku ».

Le « Kaïssékiryôri (会席) » est un repas raffiné officiel qui est souvent servi lors des banquets.

Le « Kaïssékiryôri (会席) » ne peut être commandé qu'en menu.

Au menu de « Kaïssékiryôri (会席) », on sert un plat à la fois en suivant l'ordre du service.

Le « Kaïssékiryôri (懐石) » est un des « Washoku » les plus luxeux.

À l'origine, le « Kaïssékiryôri (懐石) » était le repas servi avant la cérémonie du thé (« Cha »). On l'appelle donc « Chakaïsséki » aussi.

Le « Washoku » possède de diverses façons de cuisiner.

Un menu classique est composé de « Sashimi », « Tempura », « Osuimono (bouillon) », « Yasaï no Nimono (légumes bouillis) » etc...

Le « Washoku » satisfait non seulement le palais mais aussi les yeux.

□ 日本料理は見た目が重要で、すべての素材が美しく盛り付けられています。

□ 日本料理では季節ごとの素材が使われ、見た目の美しさだけでなく旬の味を楽しむことができます。

うなぎの蒲焼き・うな重

□ うなぎは淡水魚で、濃厚なたれを付けて焼くこともあります。

□ うなぎ料理は、うなぎの専門店で出されるのが一般的です。

□ うなぎの蒲焼きは単に蒲焼きともいい、うなぎに特製のたれを付けて焼いたものです。

□ 日本人は夏にうなぎを食べます。うなぎは暑さに打ち勝つ精力をつけると信じられているからです。

□ 蒲焼きは魚を開いて骨を取り除いてから、串に刺し濃厚なたれを付けて焼きます。

□ 蒲焼きのたれは醤油、みりん、砂糖、酒などを混ぜたものです。

□ うなぎの蒲焼きは江戸の郷土料理で、日本人の好物です。

□ うなぎには豊富なタンパク質、脂肪、ビタミンA、Eが含まれています。

□ うなぎの専門店では蒲焼きのほかにうな重が人気です。

□ うな重とは、ご飯の上に蒲焼きをのせたものです。

□ うなぎ料理には、肝吸いがよくついてきます。うなぎの内臓を入れた汁物です。

La présentation des plats est importante : tous les plats doivent être beaux à voir.

Pour que celui qui déguste puisse apprécier le « Shün (le meilleur de la saison) » aussi bien avec son palais qu'avec ses yeux, on utilise toujours les ingrédients de la saison et on fait attention à la présentation.

Kabayaki / Unajû : Plats d'anguille

Les « Unagui (anguilles) » sont des poissons d'eau douce. On les sert grillés par exemple avec une sauce épaisse.

En général, les plats de « Unagui (anguilles) » ne sont servis que dans des restaurants spécialisés.

On appelle aussi tout simplement « Kabayaki » les anguilles cuites avec une sauce spéciale.

Les Japonais mangent des « Unagui (anguilles) » en été car on pense qu'ils donnent la force de surmonter la chaleur de l'été.

Le « Kabayaki » est l'anguille désossée, passée aux broches, trempée dans une sauce et grillée.

La sauce du « Kabayaki » est faite avec un mélange de sauce de soja, de Mirïn (vin doux japonais à base de riz naturellement fermenté), de sucre et de saké.

Le « Kabayaki » d'anguille est une spécialité régionale d'Édo (ancien Tokyo), très aimé des Japonais.

Les « Unagui (anguilles) » sont riches en protéines, en graisses, et en vitamines A et E.

Le plat le plus populaire dans un restaurant spécialisé d'anguille après le « Kabayaki » est le « Unajû (anguille servi sur du riz) ».

Le « Unajû », c'est le « Kabayaki » servi sur du riz.

Un bouillon accompagne souvent les plats d'anguille. On l'appelle « Kimosuï (bouillon de foie) », et on y met les entrailles de l'anguille.

そば・うどん

□ そばとは、そば粉でできた細い麺です。

□ 日本にはそば専門のそば屋という店があります。

□ もりそばとは、ざるに盛った冷たいそばです。

□ ざるそばとは、ざるに盛って海苔をかけた冷たいそばです。

□ 天ざるは天ぷらがついた冷たいそばです。

□ かけそばは熱いつゆをかけたそばです。

□ そばには熱い汁と一緒に出てくるものがあります。

□ うどんは小麦粉でつくる太めの麺で、食べ方はそばと似ています。

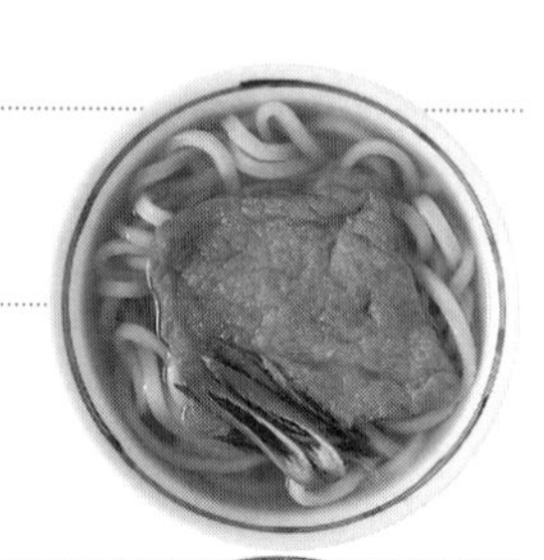

□ そばもうどんも、つけ汁に付けて食べる冷たいものと、だし汁がかかった温かいものがあります。

□ 西日本の人たちはそばよりもうどんをよく食べます。

□ 東日本の人たちはうどんよりもそばをよく食べます。

□ 日本人はよく麺をすすります。

□ 麺を食べるとき、日本では音をたてても構いません。

Track 07

Soba / Udon : Nouilles japonaises

Les « Soba » sont les nouilles fines faites avec de la farine de sarrasin.

Au Japon, il y a des restaurants spécialisés de « Soba » appelés « Soba-Ya ».

Le « Morisoba » est un plat de « Soba » froid servi sur un passoire en bombou.

Le « Zarusoba » est un plat de « Soba » froid servi sur un passoire en bambou avec du « Nori (algues séchées) » dessus.

Le « Ten-zaru » est un plat de « Soba » froid servi avec du « Tempura ».

Le « Kakésoba » est un plat de « Soba » servi dans un bouillon chaud.

Il y a des « Soba » qu'on sert avec de la soupe chaude.

Les « Udon » sont d'assez grosses nouilles faites avec de la farine de blé. On les mange comme on mange des soba.

Les « Soba » et les « Udon » peuvent être tous deux servis chaud ou froid. Ils sont accompagnés d'une sauce dans laquelle on les trempe (version froide), ou bien, directement servis dans une soupe (version chaude).

On dit que les gens du Kansaï (partie Ouest du Japon) mangent plus de « Udon » que de « Soba ».

On dit que les gens de Kantô (partie Est du Japon) mangent plus des « Soba » que des « Udon ».

Les Japonais font du bruit en mangeant les nouilles.

Au Japon, il n'est pas impoli de faire du bruit quand on mange des nouilles.

ラーメン

□ ラーメンは日本で大人気のファストフードです。

□ ラーメンの起源は中国ですが、日本は独自の味に進化させました。

□ ラーメンは値段も手頃で、手軽な食べ物です。

□ ラーメンは日本で最も人気のある麺類の一つです。

□ 日本にはラーメン屋という専門店が無数にあります。

□ 大都市では、ラーメン屋はほとんど街角ごとにあります。

□ ラーメンのスープはさまざまな素材からつくります。

□ ラーメンのスープは、鶏、豚、魚、昆布、キノコ、野菜など、さまざまな素材からつくります。

□ ラーメンの麺は小麦粉でつくられます。

□ ラーメンは安価で手軽な食べ物ですが、有名店に定期的に通うような熱狂的なファンもいます。

□ 最も人気のあるラーメンの種類には、味噌、塩、醤油があります。

□ ラーメンには、味噌ラーメン、塩ラーメン、醤油ラーメンなどの種類があります。

□ 九州のラーメンは、豚骨でスープをつくる豚骨ラーメンです。

□ 札幌の味噌ラーメンは、バターをのせて食べることもあります。

Ramén

Le « Ramén (nouilles chinoises) » est un fast-food très populaire au Japon.

L'origine du « Ramén » est chinoise mais les Japonais l'ont développé à leur façon.

Le « Ramén (nouilles chinoises) » est un plat bon marché et courant.

Au Japon, le « Ramén (nouilles chinoises) » est la plus populaire variété de nouilles.

Au Japon, il existe d'innombrables « Ramén-Ya (restaurants spécialisés de « Ramén ») ».

Dans de grandes villes, on peut trouver des « Ramén-Ya » presque dans chaque coin de la rue.

La soupe de « Ramén » est faite avec plusieurs ingrédients.

La soupe de « Ramén » est faite d'ingrédients très variés : du poulet, du porc, du poisson, de l'algue, des champignons, des légumes, etc.

Les nouilles de « Ramén » sont faites avec de la farine de blé.

Le « Ramén » est un plat bon marché et très courant, mais il y a de grands amateurs qui vont en manger régulièrement dans les « Ramén-Ya » réputés.

Les sortes de « Ramén » les plus populaires sont « Miso (purée de pâte de soja fermenté) », « Shïo (sel) » et « Shôyu (sauce de soja) ».

Il existe plusieurs sortes de « Ramén » et leur soupe qui varie : « Miso Ramén (purée de pâte de soja fermenté) », « Shïo Ramén (sel) » et « Shôyu Ramén (sauce de soja) ».

À Kyûshû, la base de la soupe est faite avec du fond de porc. On l'appelle « Tonkotsu Ramén (os de porc) ».

À Sapporo, il arrive de servir le « Miso Ramén » en ajourant un morceau de beurre en dessus.

□ ラーメンの典型的なトッピングは、チャーシュー、海苔、メンマ、ネギなどです。

カレーライス

□ カレーライスは人気の洋食です。

□ カレーはインドの料理ですが、日本人は19世紀終わりに独自のものを作りました。

□ 日本のカレーライスは、ご飯の上にカレーソースをかけたものです。

□ カレーライスは日本で最も人気のある料理の一つです。

□ カレーライスとラーメンは、日本で最も人気のあるファストフードです。

□ 都会には多くのカレーライス専門店があります。

□ カレーライスは家庭でもよく作られます。

□ カレーライスには具材によって多くの種類があります。

□ ビーフカレーや、豚カツと組み合わせたカツカレーも日本人には人気があります。

豚カツ

□ 豚カツは豚肉に衣をつけて揚げたものです。

□ 豚カツ店ではヒレやロース肉を揚げたものを手頃な値段で食べることができます。

Les garnitures les plus courantes des Ramen sont des tranches de « Châ-shû (rôti du porc) », des « Nori (feuilles d'algue séchée) », du « Shina Chiku (pousses de bambou) » et du « Négui (poireau coupé en lamelle) ».

Curry Rice

Le « Curry Rice (le riz au curry) » est un « Yôshoku » populaire au Japon.

Le Curry est un plat d'origine indienne mais les Japonais l'ont développé à leur façon vers la fin du 19ème siècle.

Le curry japonais est un plat de riz recouvert de sauce curry.

Le « Curry Rice (le riz au curry) » est le plat le plus populaire au Japon.

Le « Curry Rice » et le « Ramén » sont les fast-foods les plus populaires au Japon.

Dans les grandes villes, il y a beaucoup de restaurants spécialisés dans le « Curry Rice ».

On prépare souvent le « Curry Rice (le riz au curry) » à la maison.

Il y a plusieurs variétés de « Curry Rice (le riz au curry) » selon les ingrédients utilisés.

Le « Beef Curry (le riz au curry avec du bœuf) » et le « Katsu Curry (le riz au curry avec du porc pané) » sont appréciés des Japonais.

Tonkatsu

Le « Tonkatsu » est un morceau de porc pané.

Dans un restaurant de « Tonkatsu », on peut manger à un prix raisonnable du filet ou du carré du porc pané.

焼きそば・焼きうどん

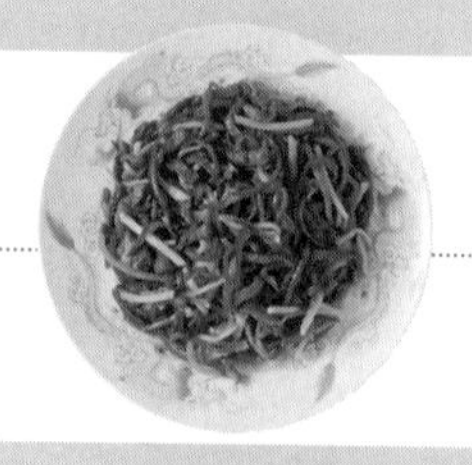

□ 焼きそばは中華麺を油で炒める料理で、特製ソース、野菜、豚肉を加えることが多いです。

□ 焼きうどんは焼きそばのようなものですが、使う麺はうどんです。

お好み焼き

□ お好み焼きは日本のピザのようなものです。

□ お好み焼きは関西で人気の料理です。

□ お好み焼き屋では、お好み焼きのほかに焼きそばも出します。

□ ピザと同じように、お好み焼きのトッピングも魚介から肉までさまざまです。

丼もの

□ 日本にはいろいろな丼ものがあります。

□ 丼ものは日本で人気のファストフードです。

□ 人気の丼料理は、親子丼、カツ丼、天丼、牛丼です。

□ 親子丼は鶏肉、玉ねぎを煮て、卵でとじ、ご飯にのせた料理です。

□ カツ丼は親子丼に似ていますが、鶏肉ではなく豚カツを使います。

□ 天丼はご飯の上に天ぷらをのせ、たれをかけたものです。

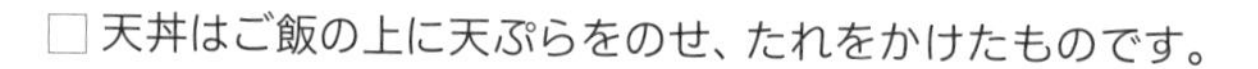

□ 牛丼は、甘辛く煮込んだ牛肉とネギなどを煮汁と一緒にご飯にかけたものです。

Yakisoba / Yakiudon

Les « Yakisoba » sont un plat de nouilles chinoises sautées à l'huile auxquelles on ajoute souvent des légumes, de la viande de porc et une sauce spéciale.

Les « Yakiudon » ressemblent aux « Yakisoba », mais sont à base de Udon.

Okonomiyaki

Le « Okonomi Yaki » est une sorte de pizza japonaise.

Le « Okonomi Yaki » est un plat très populaire dans le Kansaï (l'ouest du Japon).

Dans les restaurants de « Okonomi Yaki », on sert aussi des « Yakisoba ».

Comme pour les pizzas, on peut choisir les garnitures variées, des fruits de mer à la viande.

Don Buri

Au Japon, il existe plusieurs variétés de « Don Buri mono (plat de bol de riz) ».

Le « Don Buri » est un fast food populaire au Japon.

Les « Don Buri » les plus populaires sont le « Oyako don », le « Katsu don », le « Tén don » et le « Gyû don ».

Le « Oyako don » est une sorte d'omelette baveuse avec de la viande de poulet et de l'oignon assaisonnée de bouillon et servie sur du riz.

Le « Katsu don » resssemble au « Oyako don », mais est on met du porc pané à la place du poulet.

Le « Tén don » est une « Tempura » servi sur du riz.

Le « Gyû don » est la viande de bœuf et du poireau cuits dans un bouillon sucré-salé servis sur du riz.

弁当

□ 弁当はご飯やおかずを箱に詰めて持ち運べるようにしたものです。

□ 弁当は丁寧にお弁当といわれることもあります。

□ 弁当は学校や仕事先での昼ご飯、ピクニック、旅行や法事の席などでも食べます。

□ 弁当スタイルの料理を出すレストランもあります。

□ 高級な和食レストランでは、漆塗りの美しい箱に食材を詰めたミニ懐石を出すところもあります。

□ 弁当は盛り付けが美しいことで広く知られています。

駅弁

□ 駅弁とは列車の駅で売られている弁当のことです。

□ 列車に長く乗るのであれば、駅弁という特別な弁当を試すいいチャンスです。駅弁は主要駅で販売されています。

□ 駅弁には地元の特産物が入っていることが多いです。

おにぎり

□ おにぎりは、ご飯を三角や丸形にしたものです。

□ おにぎりを作るときは、塩を少し掌に振ってから握ります。

□ 多くの場合、おにぎりはご飯の中に具を入れて握ったものを海苔で包みます。

□ おにぎりは持ち歩くのに適しているので、どこでも食べることができます。

Bentô

Le « Bentô » est un repas composé du riz et des plats à emporter mis dans une boîte appelée « Bentô bako (boîte à bentô) ».

Il arrive que l'on désigne le « Bentô » par le terme plus formel : « Obentô ».

Au Japon, on mange le « Bentô » à l'école, au lieu de travail, en pique-nique mais aussi lors des voyages et des banquets commémoratifs.

Il existe des restaurants qui servent des menus de style « Bentô ».

Il y a des restaurants de Washoku de haute qualité qui servent des « Kaïssékiryôri » en style « Bentô », présentés dans une belle boîte laquée.

Le « Bentô » est connu pour la beauté de sa présentation.

Ékiben

Le « Ékiben » est le « Bentô » vendu seulement dans des gares.

Si vous voyagez en train pour un long trajet, c'est une bonne occasion d'essayer le « Ékiben ». Il n'est vendu que dans les principales gares.

Souvent, les « Ékiben » sont constitués de nourritures spécifiques de la région.

Oniguiri

Un « Oniguiri » est une boulette de riz rond ou triangulaire.

Quand on fait un « Oniguiri », on met un peu de sel sur les mains.

Souvent, on met de la garniture à l'intérieur et on l'enroule de « Nori (algue séchée) ».

Le « Oniguiri » est facile à emporter et à manger n'importe où.

調味料・日本食の用語

□ 味噌とは大豆を発酵させたペースト状のものです。

□ 納豆は大豆を発酵させたもので、ご飯にのせて食べます。

□ みりんとは甘い調理酒です。

□ 海苔は海藻の一種を干したもので、とくに朝食時にご飯と一緒に食べます。

□ 大根おろしとは大根をすり下ろしたものです。

□ 胡麻だれとは胡麻味のソースで、しゃぶしゃぶや冷たいうどんなどを食べるときに使います。

□ ポン酢とは柑橘果汁を入れた醤油で、刺身やしゃぶしゃぶなどに使います。

□ 梅干しは梅の実を塩漬けして干した食品で、酸っぱいですが健康にいいです。

□ つくねとは鶏の肉団子のことです。

□ わさびは、日本の辛味（調味料）でペースト状のものもあります。

わさび

□ 鰹節とはカツオを煮て燻してから乾燥させた保存食品です。削って出汁や料理の味付けに使います。

日本茶

□ 日本茶は日本語でお茶といいます。

□ 日本茶は緑茶として知られています。

□ 日本人は緑茶のことをお茶と呼び、レストランでは水と同じで無料です。

Ingrédients japonais

Le « Miso » est une purée de pâte de soja fermentée.

Le « Nattô », ce sont des grains de soja fermentés qu'on mange avec du riz.

Le « Mirïn » est une sorte de « Saké » doux pour la cuisine.

Le « Nori » est de l'algue séchée qu'on mange souvent au petit déjeuner avec du riz.

Le « Daïkon Oroshi » est du radis blanc râpé.

On utilise le « Goma daré (sauce aux sésames) » pour manger le « Shabu Shabu » ou du « Udon » froid.

On utilise le « Ponzu (sauce de soja avec des agrumes) » pour manger le « Shabu Shabu » ou du « Sashimi ».

Les « Uméboshi » sont des prunes marinées au sel puis séchées. Ils sont acides mais très bons pour la santé.

Les « Tsukuné » sont des boulettes de viande de poulet.

Le « Wasabi » est un condiment japonais qui ressemble à du raifort. On peut trouver sous forme de pâte.

Le « Katsuobushi » est un aliment à longue conservation fait de bonite séchée et fûmée. On le coupe en lamelle ou en copeau pour faire du bouillon ou assaisonner les plats.

Ocha

On appelle « Ocha » le thé japonais.

Le thé vert est le plus connu des thés japonais.

Les Japonais appellent le thé vert « Ocha » et dans les restaurants, on le sert gratuitement, comme de l'eau.

□お茶はふつうは温かいものです。

□ペットボトルに入ったお茶は自動販売機で買えます。

□日本にはさまざまな種類のお茶があります。

□茶会で点てられるお茶は抹茶という粉末状のもので、日常で出されるお茶とは違います。

□日本茶といえば一般的には煎茶のことです。抹茶とは違います。

□煎茶は、茶葉を急須に入れてお湯を注いでから飲みます。

□玉露とは苦みが少なく、甘くてコクのある高級なお茶です。

□番茶とは夏が過ぎてから摘まれた茶葉で淹れるお茶のことです。

□ほうじ茶とは焙煎した茶葉で淹れるお茶です。香ばしくてさっぱりしています。

□玄米茶とは茶葉に炒った玄米を混ぜたお茶です。

和菓子

□日本の伝統的な菓子を和菓子といいます。

□和菓子はお茶と一緒に出されることが多いです。

□和菓子はお茶と一緒に出されることが多いです。和菓子を先に食べてからお茶を飲むのは、苦味を和らげお茶の味を引き立ててくれるからです。

□和菓子は茶会でも供されます。

□見た目も美しい和菓子は、茶会の席には欠かせないものです。

Le thé est généralement servi chaud.

Le thé mis en bouteille est vendu dans des machines automatiques.

Au Japon, il y a plusieurs sortes de thé.

Le thé utilisé pour les cérémonies est une poudre de thé vert appelée « Matcha ». Il est différent du thé vert ordinairement servi.

Lorsqu'on parle du thé japonais, à l'exception du « Matcha », il s'agit du « Sencha ».

Pour servir un « Sencha », on met le thé dans une théière, on ajoute de l'eau chaude, on fait infuser et on sert.

On appelle « Gyokuro » le thé de haute qualité au goût doux et riche. L'amertume est moindre.

On appelle « Bancha » le thé fait avec les feuilles de thé cueillies après l'été.

On appelle « Hôjicha » le thé grillé. Il est très parfumé et son goût est léger.

On appelle « Guén maï cha » le thé avec du riz non décortiqué grillé.

Wagashi

On appelle « Wagashi » les gâteaux traditionels japonais.

On sert souvent le « Wagashi » avec du thé.

On sert souvent le « Wagashi » avec du thé et on le mange avant de boire pour atténuer le goût amer du thé mais aussi pour que la douceur du gâteau puisse relever et mettre en valeur le goût du thé.

Le « Wagashi » est aussi servi à la cérémonie du thé.

Les jolis « Wagashi » qui font plaisir aux yeux sont indispensables à la cérémonie du thé.

□ あんことは、小豆を煮て砂糖を加えて練ったものです。

□ あんこを生地で包んだ和菓子が数多くあります。

□ 和菓子のつくり方や飾りには、季節感があふれています。

□ 生菓子とは、主にあんこを使った水分の多い柔らかい和菓子です。

□ 饅頭は生菓子の代表例です。

□ 饅頭は、生地であんこを包んで蒸したものです。

□ 落雁は、水分の少ない乾燥した菓子である干菓子の一種で、型にはめて作ります。

□ 干菓子の中でも人気なのが煎餅です。

□ 煎餅は練った米粉を焼いて、しょう油や塩で味付けしたものです。

□ 日本にはいろいろな干菓子がありますが、甘いものばかりではなく、塩辛いものから辛いもの、香ばしいものもあります。

Le « Anko » est une pâte d'haricots rouges cuite avec du sucre.

Il existe plusieurs variétés de « Wagashi » fourrés au « Anko ».

Les fabriquants de « Wagashi » expriment pleinement les quatre saisons dans les décorations et les processus de fabrication des gâteaux.

Le « Namagashi » est une sorte de « Wagashi » mœlleux faibriqué généralement avec du « Anko ».

Le « Manjû » est un exemple type de « Namagashi ».

Le « Manjû » est un gâteau fourré au « Anko » et cuit à la vapeur.

Le « Rakugan » est une sorte de « Higashi (gâteau sec) » qu'on fabrique en utilisant des moules en bois.

Le plus populaire des « Higashi » sont les « Sén béï », des croquants à base de riz.

Les « Sén béï » sont faits avec des pâtes de farine de riz cuits et assaisonés avec du sel ou de la sauce de soja.

Au Japon, il y a plusieurs variétés de « Higashi », non seulement sucrées mais salées, pimentées ou parfois épicées.

酒

□ 酒は米から造る日本の伝統的なアルコール飲料です。

□ 酒を造るには、米、水、麹を使った複雑な工程があります。

□ 酒のことを英語で「ライスワイン」といいますが、アルコール度数もワインと同じくらいです。

□ 酒は、冷やにも、常温にも、ぬる燗にも、熱燗にもできます。

□ 酒は、冷やにも、常温にも、ぬる燗にも、熱燗にもできます。その温度によって酒の味わいも変わってきます。

□ 酒の美味しい飲み方は銘柄や季節によって変わります。

□ 暑くて湿気の多い夏場は冷やが爽快ですし、寒い冬の夜には熱燗こそがおすすめです。

□ 酒は種類によって味が異なります。自分の好みで、甘口から辛口まで選ぶことができます。

□ ワインと同じように、酒も大手メーカーだけでなく、地方特有の小規模な醸造所もたくさんあります。

□ 地方にある醸造所の酒は地酒といわれ、とても人気があります。

□ 醸造所ごとに異なる手法で酒を造ります。そのため、辛口から甘口までさまざまな酒が味わえます。

□ 大きな百貨店や酒屋には、日本中の醸造所で造られたいろいろな銘柄があります。

Track 08

Saké

Le « Saké » est une boisson alcoolisée traditionnelle du Japon, fait à base du riz.

Faire du « Saké » est complexe et nécessite un bon riz, un riz malté et de l'eau.

On appelle souvent le « Saké » le vin de riz. Le taux d'alcool est à peu près identique qu'au vin de raisins.

On peut consommer le « Saké » frais, chambré, tiède ou chaud.

On peut consommer le « Saké » frais, chambré ou chaud. Son goût change selon la température.

La meilleure manière de le déguster le saké dépend de la marque et de la saison.

Quand il fait chaud et humide, il est agréable de le boire frais, et en hiver, le boire chaud est très conseillé.

Le goût du « Saké » est très varié. Du plus sec au plus doux, on peut choisir ce qu'on préfère.

Comme les vins de terroir, il existe non seulement de grands fabriquants mais aussi beaucoup de petits fabriquants régionaux.

Les « Saké » des fabriquants régionaux sont appelés « Jizaké (saké du pays, de la région) », et sont très demandés.

Les techniques de la fabrication différent selon les fabriquants. Ainsi on peut déguster de divers sakés, du saké doux au saké sec.

Dans les grands magasins ou les grandes boutiques de « Saké », on peut trouver de nombreuses marques de « Saké » provenant du Japon entier.

□純米酒とはアルコールを使わず、米と米麹だけで造る酒のことです。

□本醸造酒とは、70%以下に精米した白米を使った酒のことです。

□吟醸酒は、よりすっきりとした味わいの酒を造るために、60%以下に精米した白米を使います。

□大吟醸酒は、50%以下に精米した白米を使った上質な酒です。

□生酒とは、いっさい加熱処理をしていない酒のことです。

□ワインテイスティングのように、利き酒という酒の味見も面白い経験となるでしょう。

□ぬる燗や熱燗で酒を飲むときは、陶製の徳利と猪口という器を使います。

□冷酒は普通、ガラスのコップで飲みます。

□常温の酒を飲むときは、木製の升という器を使います。

□杉でできた升のいい匂いで、酒の味が引き立ちます。

□酒は料理の際にも、味を深めるために使われます。

□酒は神道にとっても重要な意味を持つ飲み物です。

□酒は神に供えられるので、神道の儀式では聖水と見なされています。

□神に供える酒をお神酒(みき)といいます。

Le « Jun maïshu » est un « Saké » sans addition d'alcool, fait seulement avec du riz et du ferment du riz.

Le « Honjôzôshu » est un « Saké » fait avec du riz ayant un taux de polissage d'au moins de 70%.

Le « Ginjôshu » est un « Saké » fait de riz ayant un taux minimum de polissage de 60% pour obtenir un goût plus fin.

Le « Daï Ginjôshu » est un « Saké » de qualité fait avec du riz ayant un taux de polissage d'au moins 50 %.

Le « Namazaké » désigne le « Saké » qui n'a pas passé le stade de pasteurisation.

Si vous en avez l'occasion, faire un « Kikizaké (dégustation de saké) » peut être une expérience amusante.

On utilise un « Tokkuri (bouteille) » et un « Choko (coupe) » en porcelaine pour boire du saké tiède (« Nuru kan ») ou chaud (« Atsukan »).

En général, le « Réïshu (saké froid) » est servi dans un verre.

Le saké chambré est servi dans un « Ma-su (récipient cubique en bois qui servait d'abord d'instrument de mesure) ».

Comme le « Ma-su » est fait en bois de cyprès, sa bonne odeur réhausse le goût du « Saké ».

Le « Saké » est aussi utilisé pour donner de la saveur aux plats.

Le « Saké » est une boisson alcoolisée qui a une signification importante pour le Shintoïsme.

Comme il est offert aux dieux dans les cérémonies shintoïstes, le « Saké » est considéré comme un liquide sacré.

On appelle « Omiki » le « Saké » qui est spécialement offert aux dieux.

□ 日本人の友人と一緒であれば、酒やビールを相手のコップに注いであげるのは普通のことです。

□ 一緒に飲んでいる相手に酒を注ぐ習慣をお酌といいます。

□ 最初の一杯を飲み始めるときは「乾杯！」といいます。

□「乾杯」とは、杯の酒を飲み干すという意味です。

□ 日本では乾杯したときに、中国のように酒を飲み干す必要はありません。

焼酎

□ 焼酎は日本の蒸留酒で、米、麦、芋、黒糖などから造られます。

□ 酒と同様、日本中に焼酎の蒸留所が多数あります。

□ 鹿児島県はサツマイモで造る焼酎で有名です。

□ 泡盛は沖縄の有名な焼酎で、地元の米で造ります。

□ 黒糖で造る焼酎は、日本の南の島々で人気があります。

□ 焼酎をベースにした焼酎カクテルも人気で、いろいろな種類が楽しめます。

□ 伝統的に焼酎はお湯割りで飲まれていました。

□ 昨今、焼酎をロックで飲むのが流行っています。

Quand on est avec des amis japonais, il est normal de se servir mutuellement du « Saké » ou de la bière.

L'habitude de servir de l'alcool à quelqu'un est appelée « Oshaku ».

On dit « Kan Paï » lorsque tout le monde a son premier verre à la main.

« Kan Paï » veut dire « Buvons et vidons le verre ».

Quand on porte un toast, il n'est pas nécessaire de tout boire d'un coup comme en Chine.

Shôchû

Le « Shôchû » est un alcool japonais passé à l'alambic. On utilise du riz, du blé, des patates douces, du sucre noir, etc... pour sa fabrication.

De même que pour le « Saké », il y a des distilleries partout dans le Japon.

Le département de Kagoshima est connu pour son « Shôchû » à base de patates douces.

Le département d'Okinawa est connu pour le « Shôchû » que les gens de la région appelle « Awamori ». Il est fabriqué avec du riz cultivé localement.

Le « Shôchû » fabriqué avec du sucre noir est très populaire auprès des gens des îles du sud du Japon.

Les cocktails à base de « Shôchû » ont beaucoup de succès. On peut apprécier de diverses sortes.

Traditionnellement, on boit du « Shôchû » avec de l'eau chaude.

Ces derniers temps, il est devenu à la mode de boire du « Shôchû » avec des glaçons.

＼ちょこっと／

知っておきたいフランスのこと❷

美食と Gastronomie（ガストロノミー）

日本人が毎日、懐石料理を食べていないのと同様、フランス人の毎日の食事は質素です。

例えば「フランスの朝ごはん」といえば「カフェ・オ・レとクロワッサン」をイメージする方が多いでしょう。ですが、実際にはシリアルだったり、最もポピュラーなフランスパンであるバゲットにバターやジャムをつけて、紅茶やカフェ・オ・レ、あるいはミルクにココアを入れ、それにパンを浸して食べる、というのが定番です。なぜならクロワッサンはバゲットより倍近く高いのです！

1970年代まではお昼休みが２時間あって、昼食は自宅に戻ってとる、などということもできましたが、仕事にスピードと効率が求められる時代になると、会社近くのカフェやレストランで定食をさっと食べる、あるいはサンドイッチにリンゴ１個などを持参して会社で……というスタイルが増えていきました。

夜は、簡素でもrepas complet（ルパ コンプレ）（コース料理：前菜、メインディッシュと付け合わせ、チーズ・ヨーグルトなどの乳製品、デザート）を守る家庭は少なくはありませんが、平日はスープにメインディッシュ、あるいはメインディッシュと付け合わせだけ、と軽くすませる傾向にあります。あ、でもデザートは絶対！ かも（笑）。その分、家族で集まる日曜日の昼食や誰かを夕食に招く際は時間を取っていろいろな料理を楽しみます。

そう、家族で過ごす時や誰かを招いた時、「時間を掛けてもてなす、共に楽しむ」＝「共食性」という社会性がフランスのガストロノミーの根幹です。決して高級な料理を並べなければならない、などということはありません。

ワインと美食の研究者・早稲田大学の福田育弘教授も「フランスのガストロノミーと日本で訳されている言葉『美食』には意味が重なる部分がある一方で、ある決定的な点で違いがある。フランスのガストロノミーは『共食性』を軸にした社会性がガストロノミーの概念の核になっている。一方、日本でよく訳されている『美食』概念は美味しい料理やお酒に向かい合い、味わい表現することを探求する姿勢である」と述べています*。フランスのガストロノミーはConvivialité——分かち合うこと・共に楽しむこと——、日本の美食は「自分の内面と対話する」……なるほど、北大路魯山人や『孤独のグルメ』をイメージすると納得！ です。

＊福田育弘（2018）.「ガストロノミーあるいは美食はどう語られ、どう実践されるか ——ガストロノミー・美食言説とガストロノミー・美食という概念 ——」『学術研究』早稲田大学教育・総合学術院 , (66) 265-290.

日本の四季と生活

季節と生活

習慣とマナー

日本の四季

Les quatre saisons

Kagami mochi, Gâteau du riz gluant
鏡餅

Karutakaï,
tournoi de jeu de cartes traditionnelles.
カルタ *p.117*

Kadomatsu,
décorations traditionnelles du Nouvel An
門松 *p.115*

Hanami, admiration des fleurs de cerisier
花見 *p.123*

Hinaningyô, les poupées traditionnelles de la fête des filles
ひな人形 *p.121*

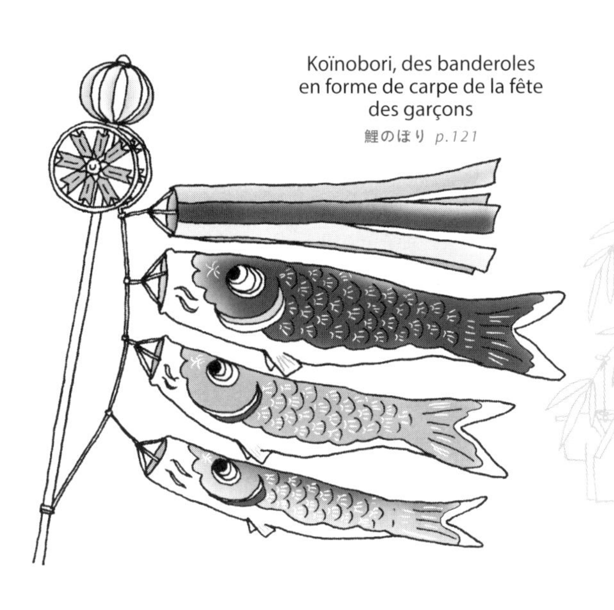

Koïnobori, des banderoles en forme de carpe de la fête des garçons

鯉のぼり *p.121*

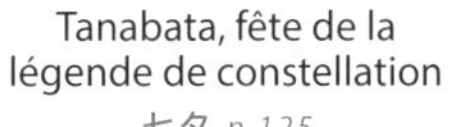

Tanabata, fête de la légende de constellation

七夕 *p.125*

Otsukimi, admiration de la lune

お月見 *p.129*

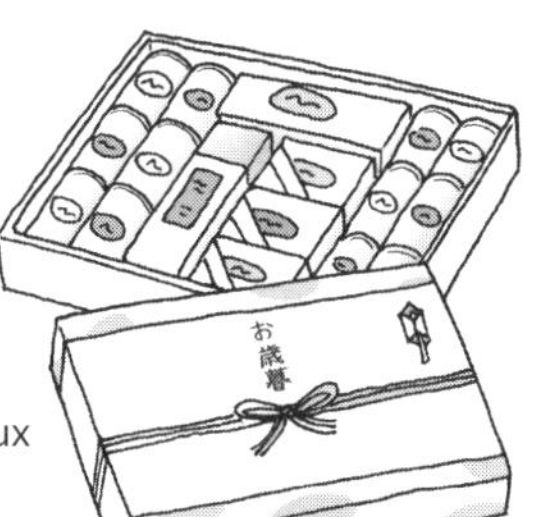

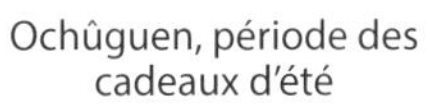

Ochûguen, période des cadeaux d'été

Oséïbo, période des cadeaux de fin d'année

お中元・お歳暮 *p.129*

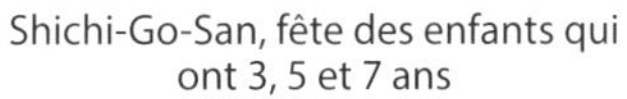

Shichi-Go-San, fête des enfants qui ont 3, 5 et 7 ans

七五三 *p.129*

季節と生活

お正月の過ごし方から、花見、節句、お彼岸、お月見、そしてクリスマスから大晦日と、日本の１年を四季をおって紹介します。

導入

□ 日本の生活や習慣は、季節の移り変わりと深くかかわっています。

□ 日本は農業国だったので、人々の生活は季節の移り変わりに強く影響されました。

□ 日本は温帯にあるので、四季の変化が明瞭です。そのことが人々の生活や習慣にも深くかかわっています。

□ 世界の多くの場所がそうであるように、日本でも季節の移り変わりに応じて、さまざまな行事や祭りが行われます。

□ 日本の行事や祭りには、地域に古くから伝わる言い伝えや風習の影響が色濃く残っています。

正月

□ お正月とは、新年のことです。

□ 新年を迎えて初めて人と会ったときは、「明けましておめでとうございます」と言います。

□ お正月とは新年を意味し、日本人にとっては最も重要な祝日です。

□ 日本人は、12月末から1月初旬の間に休暇を取ります。

□ 日本人は、12月末から1月初旬の間に休暇を取り、お正月を家族と過ごします。

Track 09

Généralité

Au Japon, la vie et les coutumes sont très liées à la variation des saisons.

Comme le Japon est un pays agricole, la vie de ses habitants est très influencée par la variation des saisons.

Le Japon se trouve dans la zone tempérée. C'est pour cela que les changements de saison sont très distincts et influencent les habitudes et la vie quotidienne de ses habitants.

Au Japon, comme partout dans le monde, il y a de diverses festivités et cérémonies au moment des changements de saison.

On peut observer de fortes influences des légendes et traditions régionales dans les festivités et cérémonies japonaises.

Shôgatsu

« Shôgatsu » signifie la fête du nouvel an.

Lorqu'on rencontre les gens pour la première fois au nouvel an, on dit : « Akémashité Omédétô Gozaïmasu » (« Bonne Année! »).

« Shôgatsu » signifie le nouvel an et c'est la fête la plus importante pour les Japonais.

Les Japonais prennent leurs vacances depuis fin décembre jusqu'au début janvier.

Les Japonais prennent leurs vacances depuis fin décembre jusqu'au début janvier pour passer le « Shôgatsu » en famille.

正月の習慣

□ お正月には、日本人は伝統的な習慣に従います。

□ 初詣とは、新年になって初めて社寺に参拝することです。

□ 年賀状とは新年を祝って交換されるはがきのことです。

□ 年賀状は新年を祝って書き送るはがきのことですが、最近では若い人を中心にメールやSNSで年賀状の代わりにしています。

□ 新年に初めて仕事をすることを仕事始めといいます。1月4日から働き始めるところが多いです。

□ 初荷とは、年が明けて初めて出荷される荷物のことです。昔はトラックに幟を立てるなどして荷物を運びました。

□ 門松とは、お正月を迎えるために家の前に置かれる竹と松で作られた伝統的な飾りのことです。

□ 注連縄飾りとは、藁と紙でできた特別な正月飾りのことで、邪気を払うために玄関に飾ります。

Les coutumes de Shôgatsu

Les Japonais respectent les coutumes traditionnelles pendant le « Shôgatsu ».

« Hatsu-Môdé » est la coutume qui consiste à aller prier pour la 1ère fois de l'année à des temples ou à des sanctuaires.

« Nén-gajô » est la carte de vœux qu'on s'écrit pour célébrer le nouvel an.

« Nén-gajô » est la carte de vœux qu'on s'écrit au nouvel an. Mais ces derniers temps, les SMS et les courriels la remplacent, les jeunes en premier.

« Shigoto Hajimé » est le jour de reprise de travail du nouvel an. Généralement, c'est le 4 janvier.

« Hatsu-Ni » veut dire « Les premiers envois » ou « Les premiers paquets ». Dans le temps, on décorait les camions qui les transportaient avec des drapeaux spéciaux.

« Kado-matsu » sont des décorations traditionnelles en pins et bambous qu'on dépose à l'entrée des maisons pour accueillir l'esprit de « Shôgatsu ».

« Shiménawa Kazari » est une décoration pour « Shôgatsu » faite de pailles et de papiers. On la suspend à l'entrée de la maison pour éviter les mauvais esprits.

初詣（湯島天神・東京都）

正月の料理

□ おせち料理とは、お正月用に特別に調理され重箱に詰められた食べ物です。

□ 伝統的に日本人はお正月には家族とおせち料理を食べます。おせち料理とは、お正月用に特別に調理され重箱に詰められた食べ物です。

□ 日本人はお正月には、重箱に詰められたおせち料理と餅を食べます。

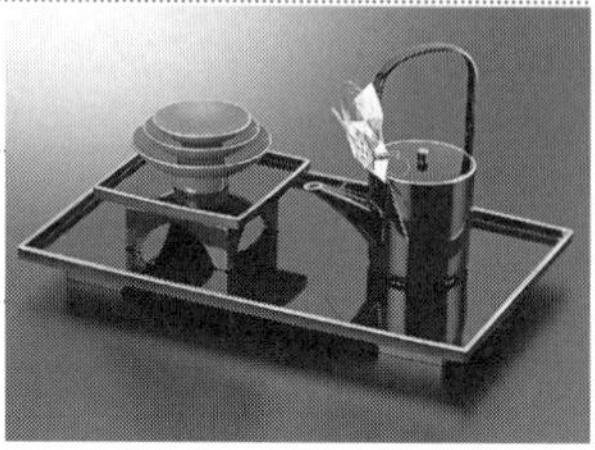

□ 日本人はお正月に、お屠蘇(とそ)という薬酒を飲みます。

□ 一般的に、お正月は1月7日までです。

□ 一般的に、お正月は1月7日までです。その日は、春の七草を刻んで入れたお粥を食べます。その粥は、七草がゆと呼ばれます。

正月の遊び

□ お正月には伝統的に、男の子は凧揚げを楽しみます。

□ 百人一首とは、お正月に行われるカードゲームです。中世の有名な歌人100人によって詠まれた和歌の上の句と下の句を合わせる遊びです。

□ お正月に、子どもたちはカルタという伝統的なカードゲームを楽しみます。女の子は羽根つきをします。

□ 羽根つきはバドミントンのようなもので、お正月の女の子たちの遊びです。

□ 羽根つきに使われるラケットは羽子板といい、美しく装飾されたものもあります。

Les coutumes de Shôgatsu

« Osechi Ryôri » est un ensemble de plats spécifiques pour « Shôgatsu ». Il est mis dans un « Jû-bako », une boîte en laque.

Traditionnellement, les Japonais mangent du « Osechi Ryôri » en famille à « Shôgatsu ». « Osechi Ryôri » est un ensemble de plats spécifiques mis dans un « Jû-bako », une boîte en laque.

À « Shôgatsu », les Japonais mangent un ensemble de plats spécifiques mis dans une boîte en laque et du « Mochi (pâte de riz gluant) ».

À « Shôgatsu », les Japonais boivent du « Oto-so », un saké épicé.

En général, le « Shôgatsu » dure jusqu'au 7 janvier.

En général, le « Shôgatsu » finit le 7 janvier. Ce jour-là on mange une bouillie de riz faite avec 7 sortes d'herbes. On l'appelle « Nanakusa Gayu ».

Les jeux de Shôgatsu

Les garçons s'amusent à faire du « Tako Agué (cerf-volant) ».

« Le Hyakunin-isshu (les poèmes de Cent poètes) » est un jeu de cartes auquel on joue souvent à « Shôgatsu ». Le jeu consiste à relier deux cartes correspondantes portant chacune la moitié d'un « Waka (poème) » divisé en deux.

Au « Shôgatsu », les enfants japonais s'amusent souvent à jouer au « Karuta (jeu de cartes traditionnelles) ». Les filles font du « Hanétsuki ».

« Hanétsuki » est un jeu qui ressemble un peu à du badmington. Les filles y jouent au « Shôgatsu ».

La raquette utilisée pour faire du « Hanétsuki » s'appelle « Hagoïta ». Il existe des raquettes richement décorées.

節分

□節分とは、春の始まりとされる立春の前日のことです。

□１年を健やかに過ごせるようにと、節分の日には豆まきをする習慣があります。

□節分の日には、厄除けや福を呼び込むという意味で豆まきをする習慣があります。

バレンタインデー

□日本では2月14日のバレンタインデーにチョコレートを贈るのが一般的です。

□日本のバレンタインデーの特徴は、女性から男性にチョコレートを贈ることが多いです。

□バレンタインデーにチョコレートを贈る習慣は、日本の製菓会社が始めたとされています。

□チョコレートは好きな人にだけでなく、職場の上司や同僚、学校の友人にも贈ります。

□職場の上司や同僚に贈るチョコレートは、「義理チョコ」と呼ばれます。文字通り、愛はないけれど義理で贈るチョコレートという意味です。

□3月14日のホワイトデーは、男性が女性にお菓子を贈るとされています。この習慣も製菓会社の販売戦略で始まったものです。

お彼岸

□春分の日と秋分の日の前後7日間を、日本では「お彼岸」と呼びます。

□お彼岸の間、人々は先祖のお墓参りをして、感謝の気持ちを伝えます。

□春分の日と秋分の日は国民の祝日です。日本人は故郷に帰って、家族と一緒にお墓参りをします。

Sétsubun

« Sétsubun » est le jour précédant le « Risshun », le commencement du printemps.

On fait une cérémonie appelé « Mamé-maki (on lance les graines de soja grillées) » en souhaitant de passer sereinement l'année.

Il y a une cérémonie traditionnelle appelée « Mamé-maki (on lance les graines de soja grillées) » pour chasser les mauvais sorts et attirer le bonheur.

La Saint Valentin

Au Japon, à la Saint Valentin, il est coutume d'offrir du chocolat.

Ce qui est amusant au Japon, c'est qu'à la Saint Valentin, ce sont les femmes qui offrent en général du chocolat aux hommes.

On dit que la coutume d'offrir du chocolat à la Saint Valentin a été lancée par une entreprise de chocolaterie japonaise.

On offre du chocolat non seulement à son bien-aimé, mais aussi à ses supérieurs et aux collègues de bureau, aux camarades de classe.

Les chocolats offerts aux supérieurs et aux collègues de bureau sont appelés « Gui-ri choko », littéralement, « chocolat par obligation, sans amour ».

« White day » est le jour où les hommes offrent des sucreries aux femmes. C'est là encore une coutume née de la stratégie commerciale des fabricants de confiserie et de gâteaux.

Higan

Au Japon, la semaine comprenant les équinoxes vernal et d'automne sont appelés « Higan ». (Trois jours avant chacune des équinoxes et les trois jours suivant).

Pendant la période de « Higan », les gens se rendent sur les tombes de leurs ancêtres pour présenter leurs respects et remerciements.

Les équinoxes sont des jours fériés pour les Japonais. Ils retournent dans leur pays natal et se rendent aux tombes de leurs ancêtres en famille.

桃の節句・端午の節句

□ 節句は、古代中国からきた習慣であり、3月と5月の節句では、子どもたちの健康と将来を祝います。

□ 3月3日は女の子、5月5日は男の子の節句です。

□ 3月3日は、桃の節句と呼ばれています。太陰暦で桃の花が咲く季節だからです。

□ 3月3日の節句は女の子のためのもので、親は階段状の台に雛人形を飾ります。

□ 雛人形は平安時代の宮中を模した人形です。この習慣により、3月3日の節句を「雛祭り」とも呼びます。

□ 5月5日は端午の節句と呼ばれ、男の子のためのものです。

□ 端午の節句の頃、男の子がいる家では、鯉を模したのぼりを戸外に立てて、男の子が元気に強く育つことを願います。

□ 鯉のぼりとは鯉を模した管状の吹き流しで、5月5日の男の子の節句を祝うものです。

□ 端午の節句に男の子の成長を祝って、伝統的な侍の人形やミニチュアの兜を飾ります。

Sekku

« Sekku » est une coutume venue de la Chine ancienne. Aux mois de mars et de mai, on prie pour la bonne santé et l'avenir des enfants.

Le « Sekku » du 3 mars est pour les filles. Celui du 5 mai est pour les garçons.

On appelle celui du 3 mars « Momo no Sekku (fleurs de pêcher) » car c'est la saison de la floraison des pêchers.

Le « Sekku » du 3 mars est pour les filles. Les parents ornent une estrade spéciale de poupées appelées « Ohinasama ».

« Hinaningyô » sont des poupées représentant les personnages de la cour de l'époque Héan. C'est pour cela qu'on appelle aussi ce jour « Hinamatsuri (La fête du Hina) ».

Le 5 mai est appelé « Tango no Sekku » et c'est une fête pour les garçons.

Les jours précédant le « Tango no Sekku », les familles ayant des garçons dressent un mât orné des bannières en forme de carpes « Koïnobori » pour souhaiter une bonne santé et un avenir favorable à leurs garçons.

Les « Koïnoboris » sont des banderoles en forme de carpe. On les dresse pour fêter le 5 mai, le « Sekku » des garçons.

Les jours précédants le « Tango no Sekku », les parents exposent une poupée traditionnelle de Samouraï ou une armure complète de Samouraï en miniature.

桜と花見

□ 桜の花は、日本では春のシンボルです。

□ 桜の花はわずか1週間くらいしかもちません。

□ 日本人は桜の開花を春到来のしるしにしています。

□ 桜の開花日をカウントダウンするために、日本人は天気予報で「桜前線」という言葉を使います。

□ 桜前線とは、開花日が等しい地点を結んだ線のことで、南から北へと日本列島を移動します。

□ 桜前線とは、桜が開花する前線のことです。それは南から北上してくる春の到来を象徴するものです。

□ 春は南から北上してくるので、日本人は桜の開花を春の到来であると見なします。

□ 一般的に、桜前線は3月の終わりに九州に到達します。そして、日ごとに日本列島を北上していきます。

□ 日本人は桜の花の下でピクニックを楽しむことが好きです。

□ 日本人は桜の花を見ながら宴会を楽しみます。この習慣を日本語で「花見」といいます。

Sakura et Hanami

Au Japon, les fleurs de cerisier sont le symbole du printemps.

La floraison des fleurs de cerisier ne dure qu'une semaine environ.

Les Japonais considèrent la floraison des cerisiers comme le symbole de l'arrivée du printemps.

Pour prévoir l'arrivée du jour de la floraison des cerisiers, les bulletins météorologiques japonais parlent de « Sakura Zénsén ».

Le « Sakura Zénsén (front des cerisiers) » est un terme météorologique qu'on utilise dans les bulletins d'information : on relie les points de floraison pour établir un plan de progression pour prévoir les dates d'apparition des fleurs dans chaque région. Il monte du sud vers le nord de l'archipel.

Le « Sakura Zénsén (front des cerisiers) » est un terme signifiant la montée vers le nord de la floraison des fleurs de cerisier. Il symbolise l'arrivée du printemps qui commence par le sud.

Comme le printemps commence par arriver par le sud, les Japonais considèrent que la floraison des fleurs de cerisier est la venue du printemps.

En général, le « Sakura Zénsén (front des cerisiers) » atteint Kyûshû vers fin mars et monte vers le nord jour après jour.

Les Japonais adorent piqueniquer sous les fleurs de cerisier.

Les Japonais adorent se rassembler et organier un banquet sous les fleurs de cerisier. On appelle cette habitude en japonais « Hanami (admirer les fleurs) ».

ゴールデンウィーク

□ ゴールデンウィークとは4月末から5月初旬にかけての期間のことで、何日かの休日が続きます。

□ ゴールデンウィークには、日本人は仕事を休んで休暇を楽しみます。

□ ゴールデンウィークは晩春の時期であり、天気がとてもよく、多くの人が家族や友だちと外で時間を過ごします。

□ ゴールデンウィーク中は、電車、飛行機、高速道路などが、とても混雑します。

衣替え

□ 衣替えとは、6月1日と10月1日にそれぞれ夏服と冬服を取り替える日本人の習慣のことです。

□ 多くの場合、衣替えは制服を着用しているところで行われます。

□ 衣替えは、ほとんどの学校、工場や百貨店などの制服を着用する職場で、年に2度行われます。

□ 家庭では季節に応じて服の収納場所を整理したり、時期が過ぎて片づける前に服の手入れをしたりします。

夏の風物詩

□ 夏になると日本人は、「ビアガーデン」と呼ばれる屋外や建物の屋上に設置された店でビールを楽しみます。

□ 夏には、仏教の習慣に基づいた伝統的な祭りが日本全国で開かれます。

□ 七夕は7月7日に行われる祭りで、星の伝説に基づいています。

Track 10

Golden-Week

On appelle « Golden-Week » la période qui s'étend de la fin avril au début mai. Il y a alors plusieurs jours fériés qui se suivent.

À la « Golden-Week », les Japonais prennent des vacances et ne travaillent pas.

La « Golden-Week » est à la fin du printemps. Il fait très beau et beaucoup de gens passent leurs temps en plein-air en famille ou avec des amis.

Pendant la « Golden-Week », tous les moyens de transports sont bondés.

Koromogaé

Le « Koromogaé » est une habitude japonaise qui consiste à changer de vêtement. Le 1er juin, on commence à mettre les vêtements d'été, le 1er octobre, ceux d'hiver.

Dans beaucoup de cas, le « Koromogaé » se fait dans les lieux où le port de l'uniforme est obligatoire.

Le « Koromogaé » se fait dans la plupart des lieux où le port de l'uniforme est obligatoire, comme les écoles, usines, les grands magasins etc... Cela se fait deux fois par an.

Dans des maisons, on range et change de vêtements selon les changements de saison.

Les traditions d'été

En été, les Japonais se rassemblent souvent dehors ou sur les terrasses des buildings appelés « Beer Gardens (Jardins de bières) » pour apprécier la bière.

En été, des festivités bouddhistes sont organisées dans tout le Japon.

« Tanabata » est une fête organisée le 7 juillet. Elle a pour origine une légende qui concerne les étoiles.

□ 星座の伝説によると、愛する2人が天の川によって引き裂かれ、1年に1度、7月7日の七夕の間だけ会うことができるのです。

□ 七夕には竹を立てて、願い事を書いた細長い紙をその枝に結びつけます。

□ 全国高校野球大会は日本人に最も人気のある夏のイベントの一つです。

□ 毎夏、全国高校野球大会が甲子園球場で開催されます。

お盆

□ お盆は夏に行われる伝統的な行事で、人々は家族と一緒にお墓参りに行きます。

□ お盆は仏教の習慣に基づく重要な休日であり、日本人は先祖に敬意を表します。

□ 多くの人たちはお盆の間に1週間の休みを取り、家族と過ごします。

□ お盆の時期になると、帰省する人が多いので、空港や駅などはとても混雑します。

□ 日本各地で、お盆に灯籠流しが行われます。

□ 灯籠流しとは、灯籠を川に流す行事のことです。その灯籠は、この1年以内に亡くなった人たちの魂を象徴したものです。

□ 8月15日は、第二次世界大戦の終戦記念日です。

□ 8月15日はお盆と第二次世界大戦の終戦記念日が重なります。

□ 8月15日は、第二次世界大戦の終戦記念日です。この戦争中に300万人以上の兵士と民間人が亡くなったので、日本人にとっては非常に重要な日です。

Selon cette légende, deux amoureux, séparés par la rivière Amanogawa (la Voie lactée) ne peuvent se voir seulement qui une fois par an, le 7 juillet.

Au « Tanabata », les Japonais dressent les bambous et attachent une petite carte de vœu à une des branches.

Le tournoi national de base-ball pour lycéens (qui a lieu chaque été) est très populaire auprès des Japonais.

Chaque été, le tournoi national de base-ball pour lycéens est organisé au stade Kôshién.

Bon

La fête de « Bon » est un événement traditionnel d'été. Les Japonais se rendent sur la tombe de leurs ancêtres en famille.

Le « Bon » est un jour de congé très important, issu du rite bouddhiste, durant lequel les Japonais présentent leur respect à leurs ancêtres.

Beaucoup de Japonais prennent une semaine de vacances à la période de « Bon » pour passer ce moment en famille.

Vers la période de « Bon », les Japonais voyagent beaucoup pour rendre visite à leur famille. De ce fait, les aéroports et les gares sont très encombrés.

Dans plusieurs régions du Japon, la cérémonie de « Tôrô-Nagashi (lanternes flottantes) » est organisée.

Le « Tôrô-Nagashi (lanternes flottantes) » est une cérémonie qui consiste à mettre des lanternes en papier sur la rivière. Ces lanternes représentent les âmes des personnes décédées dans les 12 mois précédents.

Le 15 août est le jour où on commémore la fin de la Deuxième Guerre Mondiale.

La période de « Bon » coïncide avec le 15 août qui est le jour où on commémore la fin de la Deuxième Guerre Mondiale.

Le 15 août est le jour où on commémore la fin de la Deuxième Guerre Mondiale. C'est une journée très importante pour les Japonais car plus de trois millions de soldats et civils japonais sont morts durant cette guerre.

秋の風物詩

□ 日本では、秋は読書やスポーツを楽しむ季節であるといわれています。

□ 昔から日本人は、9月中旬の満月を見ることをとても好みました。この習慣は日本語で「月見」といいます。

□ 太陰暦では、菊を楽しむ季節は9月でしたが、西洋暦では10月になります。

□ 秋になって葉が色を変え始めると、日本人は山へ行ったり、京都などの伝統的な町を訪れます。

□ 秋になると、全国各地で収穫祭が行われます。

七五三

□ 七五三とは、11月15日に行われる7歳、5歳、3歳児を祝う年中行事で、男の子は5歳になったとき、女の子は3歳と7歳になったときに祝います。

□ 5歳になった男の子や3歳か7歳になった女の子が可愛らしい着物を着て家族と神社をお参りし、健康と将来の成功を祈ります。

お中元とお歳暮

□ 真夏と年末には、感謝の意を込めて贈りものを交わします。

□ お中元とは、お世話になった人、仕事で付き合いのある人などに贈り物をすることです。

□ お中元は、7月中旬から8月中旬までの間に贈られるのが一般的です。飲み物や果物、食品などが好まれます。

□ お歳暮とは、助けてくれたり、気にかけてくれたりしてお世話になった人に、年末に贈り物をすることです。

Les traditions d'automne

Au Japon, on dit que l'automne est une saison de lecture et de sport.

Depuis longtemps, les Japonais aiment admirer la pleine lune à la mi-septembre. cette coutume est appelé « Tsukimi (admirer la lune) ».

Les Japonais considéraient autrefois que le mois de septembre du calendrier lunaire était idéal pour admirer les chrysanthèmes. Avec l'adoption du calendrier occidental, c'est devenu le mois d'octobre.

Quand arrive l'automne et que les feuilles des arbres commencent à changer de couleurs, les Japonais se rendent souvent à la montagne ou dans des villes traditionnelles comme Kyoto.

En automne, on célèbre la fête de récolte partout dans le Japon.

Shichi-go-san

Le 15 novembre est le jour de « Shichi-go-san » : c'est une fête pour les enfants qui ont 3, 5 et 7 ans. Pour les filles, on la fête quand elles ont 3 et 7 ans, et pour les garçons, on la fête quand ils ont 5 ans.

Les filles de 3 et 7 ans et les garçons de 5 ans habillés en kimono se rendent avec leur famille aux temples ou aux sanctuaires pour prier leur bonne santé et un avenir favorable.

Ochûguén et Oséïbo

En plein été et en fin d'année, on s'échange des cadeaux pour exprimer sa gratitude.

« Ochûguén » désigne le fait d'offir des cadeaux de gratitude aux personnes qui vous ont rendu service ou à des personnes avec qui on travaille ensemble.

On offre en général le « Ochûguén » entre mi-juillet et mi-août. Des boissons, des fruits ou de l'alimentation sont appréciés.

« Oséïbo » désigne le fait d'offir des cadeaux en fin d'année aux personnes qui vous ont aidé ou qui ont pris soin de vous.

□ 真夏や年末は、お中元やお歳暮があるため、日本のデパートにとって稼ぎ時です。

クリスマスと忘年会

□ クリスマスの時期になると、人々は買い物、食事、恋愛を楽しみます。

□ ほとんどの日本人にとって、クリスマスは宗教的なイベントではありません。

□ 12月になると多くの日本人は、忘年会という宴会を開きます。そこで飲んだり食べたりしてこの一年の締めくくりをします。

□ 忘年会とは日本人が年末に開く宴会のことで、お互いに感謝し合い、お酒や食事を楽しみます。

□ 仕事をしている人たちは、会社主催、部署主催、そして取引先との忘年会に参加するために忙しく、予定を合わせなければなりません。

大晦日

□ 12月31日は大晦日と呼ばれます。

□ 大晦日やその前日、日本人は大掛かりな家の掃除をします。これを「大掃除」といいます。

□ 新年を祝って書き送るはがきのことを年賀状といいます。年内に投函し、元日に届くことが大切です。

□ 大晦日の夜、多くの人は新年を迎える習慣としてそばを食べます。

□ 大晦日の真夜中ごろから、僧侶はお寺の鐘を108回つきます。

□ お寺の鐘を108回つく習慣は「除夜の鐘」と呼ばれ、108の煩悩を取り除き新年を迎えるという意味が込められています。

Avec le « Ochûguén » et le « Oséïbo », le plein été et la fin d'année sont deux périodes de vente très importantes pour les grands magasins.

Noël et Bô-nén-kaï

À l'approche de Noël, les Japonais passent de bons moments à faire du shopping, à faire de bons repas ou à rester entre amoureux.

Pour la plupart des Japonais, Noël n'est pas une fête religieuse.

En décembre, beaucoup de Japonais organisent un banquet de fin d'année appelé « Bô-nén-kaï (occasion pour oublier l'année) » pour clore l'année en buvant et en mangeant.

« Bô-nén-kaï (occasion pour oublier l'année) » est un pot que les Japonais organisent en fin d'année pour exprimer leur gratitude les uns envers les autres en mangeant et en buvant.

Ceux qui travaillent ont beaucoup de « Bô-nén-kaï » auxquelles ils doivent participer : celui organisé par leur propre entreprise, leur section et ceux des entreprises avec lesquelles ils sont en relation... Il est difficile de s'accorder sur une date.

Ômisoka

Le 31 décembre est appelé « Ômisoka ».

À « Ômisoka » ou le jour d'avant, beaucoup de gens font le grand ménage. On l'appelle « Ôsô-ji ».

On appelle « Néngajô » les cartes de vœux du nouvel an. Il est important qu'elles soient postées dans l'année et qu'elles arrivent à leur destinataire le 1er janvier (Le jour de l'An).

La nuit de « Ômisoka », les gens ont coutume de manger des nouilles japonaises pour accueillir le nouvel an.

Vers minuit de « Ômisoka », les moines bouddhistes sonnent 108 fois la cloche de leur temple.

Cette tradition consistant à faire sonner 108 fois la cloche du temple est appelé « Jo-ya no kané ». Ces sons épargnent les gens des 108 péchés et les purifient pour accueillir une nouvelle année.

習慣とマナー

日本の習慣やマナーをフランス語で説明できるようになりましょう。日本にしばらく滞在する人、ビジネスで駐在する人には有用な情報です。

家に招かれる

□ 日本人は家に入るとき靴を脱ぎます。

□ 日本人の家に入るときは靴を脱がなければなりません。

□ 家が伝統的であろうと現代的であろうと、日本人は家に入るとき靴を脱ぎます。

□ 伝統的な和室では、じかに床に座ります。

□ 伝統的な和室には椅子がなく、じかに床に座ります。

□ 座布団とは、座るための日本のクッションです。

□ 椅子に座る代わりに、日本人は座布団という平らなクッションのようなものに座ります。

□ 外国の人にとって、日本式に正座するのは辛いことでしょう。

□ あぐらとは、男性が足を組んで楽に座るやり方です。

□ 女性はあぐらではなく、正座の足を横に出して座ります。そうすれば足を休めることができます。

□ 日本人は居間でテレビを見るとき、ソファに座らないで床に座ることがあります。その方が楽だからです。

Track 11

Quand on est invité

Les Japonais enlèvent leurs chaussures dans la maison.

Il faut se déchausser avant d'entrer dans une maison japonaise.

Que la maison soit traditionnelle ou moderne, les Japonais enlèvent leurs chaussures avant d'entrer.

Dans une pièce traditionnelle, on s'asseoit par terre.

Dans une pièce traditionnelle, il n'y a pas de chaise, on s'asseoit par terre.

« Zabuton » est un coussin pour s'asseoir.

Au lieu de s'asseoir sur une chaise, les Japonais utilisent un « Zabuton », sorte de coussin plat.

Cela ne doit pas être facile pour les personnes étrangères de s'asseoir à la japonaise « Séiza (position assise correcte) ».

Pour plus de confort, les hommes peuvent s'asseoir en tailleur.

Les femmes s'asseyent non en tailleur mais en « Séiza » mais elle peuvent allonger un peu les jambes pliées sur le côté. Ainsi elles peuvent se dégourdir les jambes.

Il arrive que les Japonais regardent la télévision en s'asseyant par terre alors qu'il y a un sofa. C'est parce que pour eux, c'est plus confortable.

座る位置

□ 日本人の家に招かれると、床の間を背にした席を勧められます。

□ 敬意を表すために、日本人は客に床の間を背にした上席に座るよう促します。

□ 会社を訪問すると、ドアとは反対側の奥の席を勧められます。

ビジネスマナー

□ 日本では、自己紹介の意味を込めて、最初に会ったときに名刺交換をします。

□ 肩書きや職場が変わっていなければ、同じ人と次に会ったときに再び名刺交換する必要はありません。

□ 名刺を受け取るとき、両手で受け取るのが礼儀です。

□ 日本人相手に名刺を差し出すときは、最もタイトルの高い人に最初に手渡します。

□ 名刺を交換するとき、日本人は普通、丁寧にお辞儀します。

□ 相手が海外から来たことがわかっているときは、日本人もときには軽くお辞儀しながら握手することがあります。

□ 名刺はその人の顔であると考えられているので、相手の前で名刺をポケットに入れるのは、いいことではありません。

□ 受け取った名刺は、着席したデスクの上に丁寧に置きましょう。名刺の上下が逆さにならないよう気をつけます。

□ 日本人と話すときはファーストネームは使わない方がいいでしょう。

□ 日本人相手に話すときは、名字に「さん」をつけるのが一般的です。

Où s'asseoir

Quand vous êtes invité chez des Japonais, on vous proposera de vous asseoir à la place qui se trouve devant le « Tokonoma (alcôve) ».

Pour exprimer leur respect envers leur invité, les Japonais leur proposent de s'asseoir à la place d'honneur qui se trouve devant le « Tokonoma (alcôve) ».

Lorsque vous rendez visite à une entreprise, la place d'honneur dans une salle est, en général, celle la plus éloignée de la porte.

Visite d'affaire

Au Japon, lors de la première rencontre, on s'échange les cartes de visite en guise de présentation. Cela s'appelle le « Méïshi-kôkan (échange des cartes de visite) ».

S'il n'y a pas de changement de titre ou de section, il n'est pas nécessaire d'échanger les cartes à chaque fois avec la même personne.

Il est poli de recevoir la carte de visite à deux mains.

Quand vous donnez votre carte, il faut commencer par la personne qui occupe le plus haut poste.

Lorsque vous échangez les cartes, les Japonais vous saluent en général en s'inclinant poliment.

Quelquefois, avec les personnes étrangères, les Japonais serrent la main en saluant à la japonaise.

Les cartes de visite sont considérées comme le visage de la personne. Il ne faut donc pas mettre négligemment dans ses poches devant la personne qui vous l'a donnée.

Quand vous avez reçu une carte de visite, posez-la poliment sur la table, devant vous. Faites attention de ne pas la mettre à l'envers.

Il vaut mieux éviter d'appeler les Japonais par leur prénom.

En général, appelez les Japonais en ajoutant un « -san (formule de politesse) » à leur nom de famille.

□ 相手の会社を訪問したときは、促されるか相手が席に着くまで座らないことです。

□ 仕事の打ち合わせで座るときには、足を組むことはおすすめできません。

□ 公式な会合の場では、両手を膝の上に乗せ、背筋をまっすぐにするのが普通です。

□ 仕事の打ち合わせのとき、日本人はよくコーヒーかお茶を出しますが、ホスト側が最初に口を付けてから飲むのが普通です。

お土産

□ 日本人は旅行したときに、お土産を買って渡す習慣があります。

□ お土産は、同僚や家族、親しい友人にも渡します。

□ お土産は空港や主要駅で購入することができます。典型的なお土産はチョコやクッキー、地方の珍味などです。

結婚式

□ 結婚式は神道かキリスト教の習慣に沿って行われるのが一般的ですが、ごくまれに仏式で行われることもあります。

□ ほとんどの場合、結婚式がカップルの信仰に基づいて行われることはありません。

□ 披露宴とは結婚パーティーのことで、ホテルや式場の宴会場で開かれます。

□ 披露宴で花嫁は、和装から洋装などにお色直しをします（その反対もあります）。

□ 披露宴に招かれたら、受付で署名し、贈り物としてお祝い金を渡します。

□ お祝いのお金は、祝儀袋という特別な贈答用の封筒に入れ、封筒に自分の名前を書きます。

Lorsque vous vous rendez dans une entreprise, évitez de vous asseoir avant d'y être invité ou avant que votre interlocuteur soit assis.

Lors d'un entretien d'affaire, ne croisez pas vos jambes.

Lors d'un entretien officiel, tenez-vous droit et les mains sur vos genoux.

Lors des entretiens, les Japonais vous servent souvent du café ou du thé. Attendez que votre interlocuteur boive en premier.

Omiyagué : Cadeaux-Souvenirs

Lorsqu'ils ont fait un voyage, les Japonais ont l'habitude de faire des cadeaux-souvenirs qu'ils appellent « Omiyagué ».

Lorsqu'ils ont fait un voyage, les Japonais ont l'habitude de donner des « Omiyagué » à des collègues de bureau, à leur famille et à leurs amis.

On peut acheter des « Omiyagué » dans des aéroports et des gares. Les « Omiyagué » types sont des chocolats, des biscuits ou des produits alimentaires de la région.

Les cérémonies de mariage

En général, les cérémonies de mariage se font en général selon les rites shintoïste ou chrétien, mais parfois aussi bouddhiste.

Dans la plupart des cas, les cérémonies de mariage ne sont pas basées sur la croyance religieuse du couple.

Le « Hirô-én » signifie le banquet de mariage. On le fait souvent dans un hôtel ou dans une salle spécialisée.

Durant le « Hirô-én », la mariée change souvent d'habits, passant du Kimono (costume traditionnel) à la robe blanche occidentale, ou inversement.

Quand vous êtes invité à un « Hirô-én », vous signez à la réception et donnez un « Oïwaï-kin (argent de félicitation) » en guise de cadeau de mariage.

Le « Oïwaï-kin » doit être mis dans un « Shû-gui boukuro (une enveloppe spéciale pour la cérémonie) » avec vos noms inscrits.

□ 結納式では、婚約の印として、花婿の両親が花嫁の両親に祝いの品を贈ります。

葬式

□ 葬式は故人の家の信仰に基づいて行われます。

□ お通夜は葬式の前夜に行われます。

□ お通夜は葬式に似ていますが、式のあと故人の思い出を語り合うための食事があります。

□ 故人の家族と親しくなければ、食事の誘いを受ける必要はありません。

□ お通夜の翌日に、主たる葬儀（告別式）が執り行われます。

□ 告別式に出るときには、受付で署名し、香典という現金を収めます。

□ 仏式の葬儀の場合、棺が置かれた祭壇の前に行き、焼香して合掌します。

□ 焼香とは仏式の葬儀で行われる儀式のことで、香炉に細かくした香を入れてから合掌します。

冠婚葬祭

□ 冠婚葬祭は日本人の暮らしの中で最も重要な行事です。

□ 冠婚葬祭とは日本人にとって重要な4つの儀式のことです。その4つの儀式には成人式、結婚式、葬式、法事があります。

□ 成人式とは大人になったことを祝う儀式です。

□ 日本では、長い間20歳になると成人したと見なされていましたが、2022年に18歳に引き下げられました。

À la cérémonie de « Yuinô shiki », les parents du futur marié rendent visite aux parents de leur future belle-fille et apportent un cadeau.

Les funérailles

Les funérailles se déroulent suivant la croyance de la famille du défunt.

Le « Tsuya » est la veillée funèbre.

Le « Tsuya » ressemble au « Sôshiki » mais après la cérémonie, il y a un banquet pour parler du défunt.

Seuls ceux qui sont proches de la famille doivent accepter l'invitation au dîner.

Le lendemain du « Tsuya » a lieu la cérémonie principale « Kokubétsushiki ».

Quand on assiste au « Kokubétsushiki », on doit inscrire son nom au registre à la réception et offrir un « Kôden (l'argent en guise de condoléances) ».

Aux funérailles bouddhistes, on se rend devant l'autel où est déposé le cercueil, on fait le « Shôkô » et on joint les mains devant soi.

Le « Shôkô » est un rite durant les funérailles bouddistes : on rend hommage au défunt en mettant de l'encens en poudre dans l'encensoir et on joint les mains devant soi.

Les 4 cérémonies de la vie

« Kan Kon Sô Saï » est la série des cérémonies les plus importantes dans la vie des Japonais.

« Kan Kon Sô Saï » est la série des quatre cérémonies les plus importantes pour les Japonais. Il y a la Fête de la Majorité, le mariage, les funérailles et les cérémonies familiales.

Le « Séïjinshiki » est la cérémonie pour fêter la majorité.

Pendant longtemps, l'âge légal de la majorité était de 20 ans au Japon. Mais en 2022, on l'a abbaissé à 18 ans.

□ 1月の第２月曜日には、地域の役所が成人式を行います。

□ 成人の日は1月の第2月曜日で、成人した人たちを祝います。

□ 結婚の儀式のことを、日本語では結婚式といいます。

□ 多くの場合、結婚式は神式かキリスト教式で行われます。

□ 冠婚葬祭の「葬」とは、故人を弔うための葬儀のことです。

□ 葬儀の習慣、儀式は神式か仏式かで変わってきます。

□ 冠婚葬祭の「祭」とは、故人の命日に開かれる特別な集まりのことです。

□ 法事とは、仏式の特別な行事のことで、命日から一定の間隔で故人を弔うためにお祈りします。

□ 主な法事は、初七日（命日から数えて７日目）、四十九日（命日から数えて49日目）、一周忌（命日から１年後）、三回忌（亡くなってから２年経過した３年目）、七回忌（亡くなってから６年経過した７年目）が行われるのが一般的です。

□ 法事には僧侶が呼ばれ、故人への供養のためにお経をあげます。

Le 2ème lundi du mois de janvier, les mairies organisent la cérémonie de la majorité.

Le jour de la Fête de la Majorité est le 2ème lundi du mois de janvier. On fête les nouveaux majeurs.

La cérémonie de mariage en japonais, c'est « Kékkonshiki ».

Dans beaucoup de cas, les cérémonies de mariage se font selon les rites shintoïstes ou chrétiens.

Le « Sô » du « Kan Kon Sô Saï » désigne les funérailles.

Les coutumes et les rites des funérailles diffèrent selon que l'on soit shintoïste ou bouddhiste.

Le « Saï » du « Kan Kon Sô Saï » désigne les réunions ou les cérémonies spéciales organisées aux anniversaires mortuaires des défunts et ancêtres.

Le « Hôji » est le service commémoratif dans le rite bouddhiste. Elle consiste à prier pour le défunt après son décès, pendant une certaine période et à une cadence déterminée.

Les « Hôji » principaux qu'on célèbre généralement sont « Shonanoka (le 7ème jour) », « Shijû-kunichi (le 49ème jour) », « Isshû-ki (1 an après) », « San kaï ki (2 ans après / 3ème année) » et « Nanakaï-ki (6 ans après / 7ème année) ».

Aux services commémoratifs, on invite un moine pour prier en l'honneur du défunt.

ちょこっと
知っておきたいフランスのこと③

花の都？　いいえ「光の都」です

日本人にとってパリの美称は「花の都」ですが、フランス人は自分たちの首都を「光の都 ville lumière」と呼んでいます。「光の都」の誕生は 17 世紀にさかのぼります。

時の王は太陽王ルイ 14 世でした。王はパリの犯罪率を何とか下げたいと大臣のコルベールと共に頭を悩ませていました。二人は首都の治安維持と生活改善のために、1667 年にガブリエル・ニコラ・ドゥ・ラ・レニー（De la Reynie, Gabriel Nicolas 1625-1709）という請願審理官を、現代でいう司法警察の初代警視総監に任命しました。

のちに「フランス司法警察の父」と呼ばれることになるレニーは公明正大な人物で、どんな政治的圧力にも屈せず、30 年の長きにわたって精力的にパリの犯罪撲滅と市民の生活改善を推進しました。レニーは様々な取り組みでパリの秩序を回復していきました。まず警察機構を再編成します。部下たちには十分な給金と税務上の特典を与え、生活基盤を作って賄賂や汚職を防ぎました。そして何よりも税金から予算を取って、夜のパリを松明やランタンで照らす仕組みを作ったばかりでなく、市民に対して窓辺をオイルランプや蝋燭で照らしてくれるように協力を呼び掛け、犯罪者が潜む暗がりをなくしたのです。2700 のランタンと市民の明かりがパリ市内の 900 もの通りを照らしました。これが「光の都」の始まりです。

1758 年、警察は「もっと明るくて効率のよい街頭を」とコンクールを開催します。８年後、工学者ドミニック・フランソワ・ブルジョワ（Bourgeois, Dominique-François 1697-1781）が反射型街灯（lanterne à réverbère, ここから街灯を réverbère と呼ぶようになった）を発明し、パリの夜はより明るくなりました。

1820 年になると今度は化学者フィリップ・ルボン（Lebon, Philippe 1767-1804）によるガス灯が登場します。最初は歴史的建造物やパサージュ・クーヴェル（passage couvert, 既存の建築物を改築して設けた歩行者専用の通り抜け道）だけでしたが、あっという間にパリ市内中に設置されます。電気の街灯が導入されるまで、最終的には５万６千本のガス灯が光の都パリの名声を支え続けました。

日本の伝統と文化

伝統芸能と芸術

現代文化・風潮

スポーツ

日本の伝統芸能

Les arts traditionnelles du Japon

Le Kabuki

歌舞伎

（☞La Kabuki *p.149*）

Le Nô

能

(☞ Le Nô *p.155*)

Quelques masques

面の一例

Enméïkaja, masque d'homme signifiant la longévité

延命冠者（神を表す面）

Koushijô, l'honorable vieillard

小牛尉（品のある老人を表す面）

Hannya, âme démon d'une femme

般若（女性の怨霊を表す面）

Kômoté, une jeune femme

小面（若い女性を表す面）

Scène de Nô

能舞台

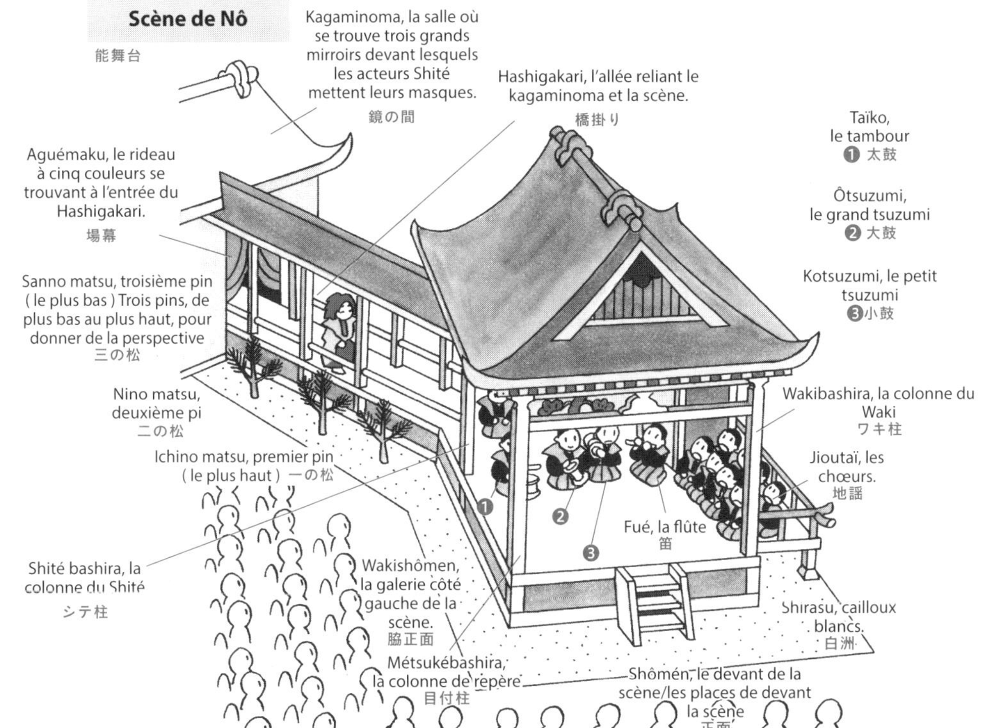

Le Bunraku

（☞ Le Bunraku *p.153*）

文楽

Omozukaï, marionettiste principal qui s'occupe de l'expression du visage et de la main droite. Il chausse de gros géta spéciaux appelés Butaï Géta. Il est le seul à apparaître sans cagoule.

主遣い

（左手で人形の表情を、右手で人形の右手を操る。舞台下駄という大きな下駄を履いている）

Hidarizukaï, marionettiste qui s'occupe de la main gauche. Il est habillé en noir de la tête au pied (Kuroko), et considéré ainsi absent de la scène.

左遣い

（人形の左手を操る。黒衣を纏っている）

Ashizukaï, marionettiste qui s'occupe des pieds. Habillé en Kuroko, il est souvent accroupi sous les marionettes.

足遣い

（人形の下にうずくまり、両手で人形の両足を操る。黒衣を纏っている）

Les marionettes de Bunraku.

文楽の人形

Wagakki, les instruments de musique japonais

和楽器

Koto, la harpe japonaise

琴

Shakuhachi, la flûte en bambou

尺八

Tsuzumi, petit tambour

鼓

Shamisen, luth japonais à trois cordes

三味線

相撲を知る

(☞ Le Sumo *p.175*)

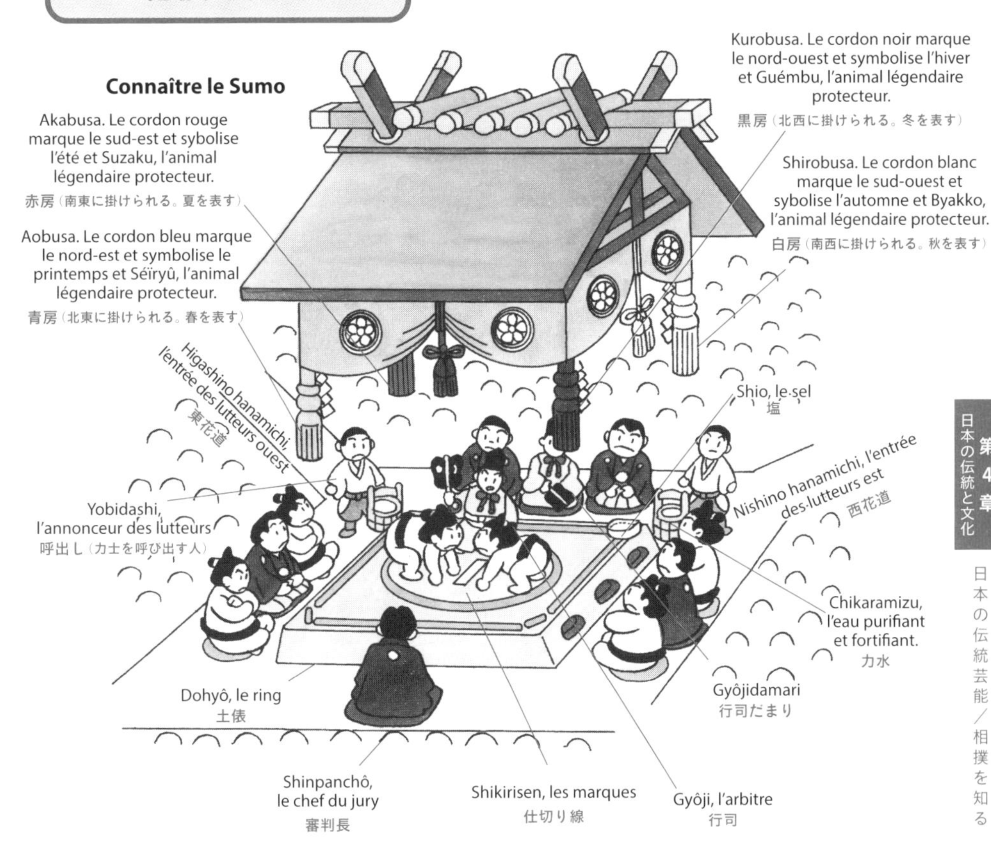

Yokozuna, le plus haut rang des lutteurs de Sumo
横綱（力士の最高位）

Sekitori, lutteurs de Sumo classés en Makuuchi ou Jûryô.
関取（"十両"以上の力士）

Makushita, lutteurs de Sumo classés en dessous de Jûryô.
幕下（番付の２段目に書かれる力士。十両の一階級下）

Gyôji, l'arbitre
行司

伝統芸能と芸術

日本に来たら歌舞伎を見たい、という方もいらっしゃると思います。歌舞伎、文楽、能、狂言、そして日本古来の着物から茶道・華道の説明まで身につけることができます。

歌舞伎

- □ 歌舞伎は日本特有の演劇です。
- □ 歌舞伎は江戸時代に発展した日本特有の演劇です。
- □ 歌舞伎は、能楽、人形浄瑠璃（文楽）と並んで、日本の三大国劇といわれています。
- □ 歌舞伎は日本の伝統芸能の一つで、役者と演奏家が演じます。
- □ 歌舞伎はバックで演奏される音楽に合わせて演じられます。
- □ 歌舞伎はバックで演奏される音楽に合わせて演じられ、メインの楽器は三味線です。
- □ 歌舞伎では、三味線、笛、太鼓の演奏をする人たちが座り、ときには長唄が歌われることもあります。
- □ 今日の歌舞伎は日本の伝統的な舞台芸術で、演劇、踊り、音楽を一体化したものです。
- □ 日本では、有名な歌舞伎役者は著名人で、しばしばテレビドラマなどにも出演します。
- □ 異国情緒あふれる歌舞伎は、外国人にも人気があります。
- □ 多くの外国人観光客は、歌舞伎役者の特徴のある化粧とパフォーマンスを楽しんでいます。

Track 12

新装の歌舞伎座

Le Kabuki

Le Kabuki est un art dramatique spécifique du Japon.

Le Kabuki est un art dramatique propre du Japon, développé à l'époque Edo.

Le Kabuki fait partie des trois styles dramatiques nationaux (Kokuguéki) avec le Nô et le Ningyô-jôruri (appelé aussi Bunraku).

Le Kabuki est un des arts traditionnels du Japon. Il est interprété par des acteurs et des musiciens.

Au Kabuki, une musique vient s'ajouter à l'interprétation en arrière-plan.

Au Kabuki, en arrière-plan, une musique vient s'ajouter à l'interprétation ; le principal instrument est le Shamisen.

Au Kabuki, les joueurs de Shamisen, flûte et tambour sont assis. Il arrive qu'ils chantent un « Naga-uta (littéralement Chant long) ».

Le Kabuki d'aujourd'hui est un art dramatique classique japonais où le théâtre, la danse et la musique sont indissociables.

Au Japon, les acteurs de Kabuki connus sont des célébrités qui interviennent régulièrement dans des séries télévisées.

Avec son exotisme débordant, le Kabuki est populaire auprès des étrangers.

Beaucoup de touristes étrangers sont attirés par la particularité des maquillages et performances des acteurs de Kabuki.

□ 異国情緒あふれる踊り、音楽、衣装、そして特徴ある化粧など、歌舞伎は海外からの旅行者にも人気です。

□ 花道というのは、客席を通って舞台へと続く廊下のことです。

□ 三味線は日本の伝統的な弦楽器です。

□ 三味線は、日本の三弦リュートのようなものです。

□ 三味線は日本の伝統的な楽器で、弦を弾いて演奏します。

□ 三味線は日本の伝統的な弦楽器で、歌舞伎のほか、さまざまな伝統的行事などで使われます。

□ 歌舞伎の歴史は17世紀初期まで遡ることができます。

□ 歌舞伎は最初、京都で上演され、すぐに江戸に広がっていきました。

□ 歌舞伎の始まった17世紀初期は、女性だけが踊るものでした。

□ 本来、歌舞伎は女性が演じるものでしたが、幕府が性的な挑発になるということで、女性が演じることを禁止しました。

□ 幕府が、女性が演じる歌舞伎を禁じると、男性が男役、女役の両方を演じるようになりました。

□ 男性が女役を演じるという点で、歌舞伎はユニークな演劇といわれています。

□ 歌舞伎では、女性を演じる男性俳優を女形といいます。

□ 江戸時代、歌舞伎は舞台芸術として発展しました。

□ 江戸時代、舞台演劇として発展した歌舞伎は、江戸の人にも大阪の人にも喜ばれました。

安政5年（1858）の市村座の様子（歌川豊国画）

Avec ses maquillages particuliers, ses danses, musiques et costumes débordants d'exotisme, le Kabuki est même populaire auprès des touristes étrangers.

On appelle « Hana-michi » une estrade qui passe entre les sièges des spectateurs pour arriver jusqu'à la scène. Et par laquelle les acteurs célèbres font leur entrée.

Le « Shamisen » est un instrument à cordes classique japonais.

Le « Shamisen » est une sorte de luth japonais à trois cordes.

Instrument classique japonais, le « Shamisen » se joue en pinçant des cordes.

Instrument à cordes classique du Japon, le « Shamisen » est utilisé au Kabuki et à l'occasion de divers événements traditionnels.

L'histoire du Kabuki remonte au début du 17ème siècle.

Au départ, le Kabuki se jouait à Kyoto, et instantanément, il s'est étendu à la ville d'Edo.

Au commencement du Kabuki, dans la première partie du 17ème siècle, seules les femmes dansaient.

À l'origine, le Kabuki était interprété par des femmes, mais le shogounat leur a interdit de jouer prétextant une provocation sexuelle de leur part.

À partir du moment où le Shogounat a interdit aux femmes d'interpréter du Kabuki, les hommes se sont mis à jouer les rôles d'hommes ou de femmes.

Au Kabuki, les rôles féminins sont joués par des hommes, ce qui est unique au théâtre.

Au Kabuki, on appelle « Onna-gata » un homme qui joue un rôle féminin.

À l'époque Edo, le Kabuki est apparu en tant qu'art dramatique.

À l'époque Edo, le Kabuki s'est développé en tant qu'art théâtral et dramatique, à la joie des habitants d'Edo et d'Osaka.

写楽による役者絵

□ 大阪や京都で発展した歌舞伎を上方歌舞伎といいます。

□ 歌舞伎で演じられる有名な演目の多くは、日本の古典を題材にしたものです。

□ 江戸時代、歌舞伎の人気役者を宣伝するために描かれたのが浮世絵です。

□ 東京で歌舞伎が行われるのは、主に国立劇場か歌舞伎座です。

□ どちらの劇場でも、英語の翻訳付きで歌舞伎を楽しむことができます。

文楽

□ 文楽は日本の伝統的な人形劇です。

□ 文楽は人形浄瑠璃ともいいます。

□ 文楽は、17世紀の後半に竹本義太夫が大阪で劇場を始めたことで、人気が出ました。

□ 17世紀後半、近松門左衛門の作品を上演したことで、文楽は有名になりました。

□ 近松門左衛門は文楽のために物語を書く脚本家です。

□ 文楽は大阪で始まり、歌舞伎にも大きな影響を与えました。

□ 文楽は歌舞伎の人形版のようなものです。

□ 文楽では、三味線の伴奏で物語が語られ、吟じられます。

□ 文楽で行われる語りを浄瑠璃といいます。

□ 浄瑠璃は文楽で行われる語りで、三味線の伴奏がつきます。

Le kabuki développé à Osaka et à Kyoto est appelé le « Kami-gata kabuki ».

La plupart des sujets de pièces célèbres de Kabuki sont tirés des classiques de la littérature japonaise.

Les gravures ont été créées pour la promotion de célèbres acteurs du Kabuki. On appelle ces gravures « Ukiyo-é ».

À Tokyo, le Kabuki se joue principalement au Théâtre National ou à Kabuki-za.

Dans les deux théâtres, il est possible de profiter du Kabuki avec une traduction anglaise.

Le Bunraku

Le Bunraku est un théâtre de marionnettes classique du Japon.

Le Bunraku est appelé aussi « Ningyô-jôruri ».

Le Bunraku est devenu populaire dans la deuxième moitié du 17ème siècle avec la fondation du théâtre de Bunraku à Osaka par Takemoto Gidayû.

Dans la deuxième moitié du 17ème siècle, le Bunraku est devenu célèbre en jouant les pièces de théâtre écrites par Chikamatsu Monzaemon.

Chikamatsu Monzaemon est un dramaturge qui a écrit des scénarios pour le Bunraku.

Le Bunraku a commencé à Osaka ; il a fortement influencé le Kabuki.

Le Bunraku, c'est comme du Kabuki avec des marionnettes.

Au Bunraku, on raconte une histoire sur un fond de « Shamisen ».

On appelle « Jôruri » l'histoire contée au Bunraku.

« Jôruri », l'histoire contée au Bunraku, est accompagnée par un « Shamisen ».

能

□ 能は日本の古典芸能の一つです。

□ 能は日本の古典的な演劇で、13 ～ 14世紀に発展しました。

□ 能は日本の舞台演劇の中でも最もよく知られているものの一つです。

□ 能は猿楽から発展した歌舞劇で、踊りと劇の要素が含まれています。

□ 能は観阿弥が創始し、14世紀に息子の世阿弥が確立しました。

□ 能は観阿弥・世阿弥親子によって洗練された舞台芸術になりました。

□ 能役者の動きはとてもゆっくりしています。

□ 能はそのミニマリズムゆえに、洗練されていると言われています。

□ 能の主役は仕手と呼ばれ、助け役を脇といいます。

□ 能の舞台には、数人の役者しか上がらず、仕手と呼ばれる１人の役者が演じ、謡い、踊ります。

□ 能は男性の役者で演じられます。

□ 能の役者は、面を着けて演じます。

□ 能面は、能の役者が顔につけるマスクのことです。

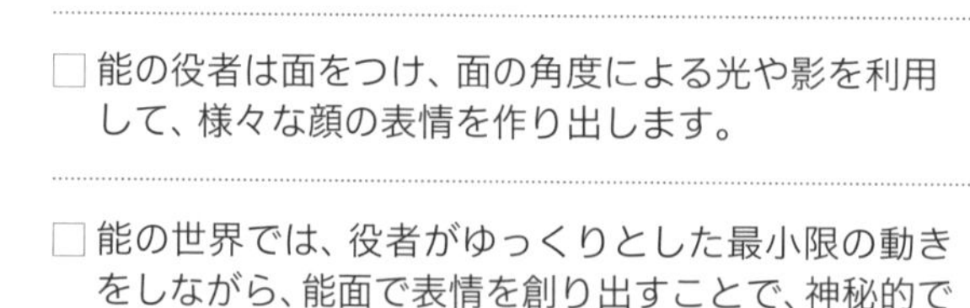

□ 能の役者は面をつけ、面の角度による光や影を利用して、様々な顔の表情を作り出します。

□ 能の世界では、役者がゆっくりとした最小限の動きをしながら、能面で表情を創り出すことで、神秘的でかつ深淵な世界を描きます。

Le Nô

Le Nô est un des arts traditionnels du Japon.

Le Nô est une forme de théâtre classique japonais qui a pris son essor aux $13^{\text{ème}}$ et $14^{\text{ème}}$ siècles.

Parmi les différentes formes de théâtre japonais, le Nô est la plus connue.

Le Nô est une forme de théâtre classique avec danse et chant qui s'est développé à partir du « Saru-gaku ».

Le Nô a été créé par Kan-ami, et établi au $14^{\text{ème}}$ siècle par son fils Zeami.

Le Nô est devenu un art dramatique raffiné grâce à Kan-ami et à son fils Zeami.

Les mouvements des acteurs de Nô sont très lents.

On dit que le Nô est raffiné par son minimalisme.

Au Nô, on nomme « Shité » celui qui a le rôle principal, et « Waki » ceux qui l'assistent.

Sur une scène de Nô, il n'y a pas beaucoup d'acteurs, une seule personne a le rôle principal, elle joue, chante et danse.

Le Nô est interprété par des hommes.

L'acteur de Nô porte un masque.

« Nô-men », le masque de Nô se met sur le visage de l'acteur.

L'acteur de Nô réalise diverses mimiques en utilisant la lumière et l'ombre selon les angles de son masque.

Dans l'univers du Nô, l'acteur bouge lentement en effectuant des « Saishôgen », crée des expressions à l'aide de son masque, et dépeint un monde mystérieux emprunt d'un profond désespoir.

□ 夢幻能とは、15世紀に世阿弥が完成した劇で、亡霊や神などが物語を語ります。

□ 薪能は、薪をたいて野外で行う能のことです。

□ 囃しとは、能舞台の伴奏のことです。もともとは、笛と3種の太鼓で伴奏しました。

□ 鼓は日本古来の打楽器です。小さな鼓は、肩にのせて右手で打ちます。

□ 大鼓は座っている膝の上にのせて演奏します。

□ 太鼓は日本式のドラムのことで、能では小さい太鼓が使われます。

□ 謡は、登場人物の台詞に節をつけた歌のことで、もともとは8人で歌っていました。

狂言

□ 狂言は能楽師が演じる滑稽劇です。

□ ときには狂言が独立して演じられることもありました。この場合は、本狂言と呼ばれました。

□ 狂言は能と源流は同じです。

□ 能と違って、ほとんどの狂言は面を着けることはありません。

□ 狂言の主役はシテと呼ばれ、脇役をアドといいます。

□ 狂言は中世の庶民の日常生活を題材にした、台詞が中心の喜劇です。

狂言の舞台

Le « Mugen-nô (nô fantastique) » a été crée et rendu parfait au 15ème siècle par Zeami. Les personnages principaux sont des esprits défunts et des dieux qui racontent leurs histoires.

Le « Takigi-nô » est un Nô de plein air à la lumière d'un feu de bois.

On appelle « Hayashi » le Nô accompagné musicalement sur la scène. Originellement, il était accompagné d'une flûte et de trois sortes de tambours.

Le « Tsuzumi » est un vieil instrument à percussion du Japon. C'est un petit tambour qu'on porte sur l'épaule et qu'on frappe avec la main droite.

Plus gros que le « Tsuzumi » ordinaire, le « Ô-tsuzumi » se tient sur les genoux.

Le « Taiko » est une caisse japonaise, au Nô, on utilise un petit « Taiko ».

Le « Utai » est les paroles des pièces chantées en choeur, originellement interprété par huit personnes.

Le Kyôgen

Le Kyôgen est un théâtre comique interprété par les acteurs de Nô.

Parfois, il arrive qu'on joue une création indépendante. Dans ce cas, on appelle cela « Hon-Kyôgen ».

Le Kyôgen a les mêmes origines que le Nô.

À la différence du Nô, la plupart des Kyôgen se joue sans masque.

On nomme « Shite » celui qui a le rôle principal, et « Ado » ceux qui l'assistent.

Le Kyôgen repose sur des histoires de la vie quotidienne du Moyen-Âge japonais. Ce sont des comédies en dialogue.

着物

□ 着物は日本の伝統的な衣装です。

□ 着物は日本の伝統的な衣装で、男性、女性ともに着ます。

□ 女性が着る着物は色鮮やかです。

□ 着物は、洋服と区別して和服と呼ばれます。

□ 着物は衣服というだけでなく、素晴らしい芸術でもあります。

□ 着物は一般的には高いものです。

□ 色鮮やかで、一流の染め技術が施された着物は、とても高価です。

□ 着物を寝間着と思っている人もいますが、それは間違いです。

□ 外国人用に、寝間着として着物もどきのものを販売する土産物屋も多いです。

□ 着物用の織物をつくるには、熟練した職人技が必要です。

□ 着物を仕立てるには、先代から受け継がれる熟練の技が必要です。

□ 京都や金沢でつくられる高級な着物の中に、友禅と呼ばれるものがあります。

□ 友禅は高級な着物で、京都や金沢でつくられます。

□ 友禅（染め）は、１年がかりで布に絵付けや染めを施します。

Le Kimono

Le kimono est le vêtement traditionnel japonais.

Le kimono est le vêtement traditionnel japonais, il est porté par les hommes et par les femmes.

Le kimono pour femme est de couleur vive.

On appelle le kimono « Wa-fuku » (vêtement japonais) par opposition au « Yô-fuku » (vêtement à l'occidentale).

Le kimono n'est pas seulement un habit, c'est aussi un art magnifique.

Généralement, un kimono coûte cher.

De couleurs vives, les kimonos ont été teints selon une technique pointue et sont de grande valeur.

Certaines personnes pensent que l'on porte un kimono pour dormir, mais c'est une erreur.

Nombreuses sont les boutiques de souvenirs destinées aux étrangers qui vendent des kimonos en guise de peignoirs.

Pour fabriquer du tissu de kimono, on a recours au savoir-faire d'un artisan expérimenté.

Pour confectionner un kimono, on a besoin d'un savoir-faire hérité des anciens.

Parmi les kimonos haut de gamme confectionnés à Kyoto ou Kanazawa, il y a ceux qu'on nomme « Yûzen ».

« Yûzen » est un kimono haut de gamme confectionné à Kyoto ou Kanazawa.

« Yûzen-(Zomé) » est une technique selon laquelle il a fallu une année pour teindre le tissu.

□ 着物を着るときは、腰のところに帯を巻いて、背中で結びます。

□ 帯を結ぶには技術が必要で、自分でやるのはかなり大変です。

□ 帯を自分で結ぶのはかなり大変で、着物を着る人はたいてい誰かに助けてもらいます。

□ 振り袖は、未婚女性が着る袖の長い着物のことです。

□ 未婚女性は、色鮮やかで、袖の長い振り袖を着ます。

□ 既婚女性は、袖の短い留袖という着物を着ます。

□ 既婚女性は、落ち着いた色の袖の短い留袖を着ます。

□ 浴衣は着物の一種で、夏の夜に着ます。

□ 浴衣はもともとは夜に着る室内着でしたが、外を散歩するときなどにも着られるようになりました。

□ 最近では、花火やお祭りでも浴衣を着る人がいます。

□ 日本の伝統的な宿である旅館では、浴衣を借りて温泉に行くことができます。

□ 浴衣はふだん着なので、高級なホテルではふさわしくありません。

□ 日本人は日常生活では洋服を着ていますが、結婚式、葬儀、卒業式など特別な場合に着物を着ます。

Pour mettre un kimono, on enroule le « Obi » autour des hanches, et on le noue dans le dos.

Il faut de la technique pour nouer le « Obi », et le faire soi-même est assez difficile.

Il est assez difficile de nouer le « Obi » soi-même, le plus souvent, les gens qui portent un kimono demandent l'aide de quelqu'un.

Le « Furi-sodé » est un kimono à manches tombantes, il est porté par des femmes célibataires.

Les femmes célibataires portent un « Furi-sodé » aux couleurs vives et à manches pendantes.

Les femmes mariées portent un kimono à manches courtes qu'on appelle « Tomé-sodé ».

Les femmes mariées portent un kimono à manches courtes et de couleur pâle qu'on appelle « Tomé-sodé ».

Le « Yukata » est une variété de kimono qui se portent les soirs d'été.

Originellement, le « Yukata » était un vêtement pour rester chez soi le soir, mais il est devenu courant de sortir avec pour se promener.

Ces derniers temps, des gens portent le « Yukata » pour un feu d'artifice ou un festival traditionnel.

Dans les auberges typiques du Japon, on peut emprunter un « Yukata » pour aller aux sources thermales.

Comme le « Yukata » est un vêtement ordinaire, il n'est pas convenable de le porter dans des hôtels de luxe hors de sa chambre.

Dans leurs vies quotidiennes, les Japonais s'habillent à l'occidentale, mais ils portent un kimono lors des occasions spéciales telles que les mariages, les funérailles ou les remises de diplôme.

茶道

□ 茶道は茶を点ててそれを振るまう日本の伝統的な儀式です。

□ 茶道は何世紀にもわたる歴史があり、そこには哲学的な概念が潜んでいます。

□ 茶道では、粉末にした抹茶が用いられます。

□ 普通の茶葉からつくられる緑茶に比べ、抹茶は濃厚な味がします。

□ 茶道は禅とともに発展し、16世紀後半に千利休という人によって確立されました。

□ 茶道が16世紀後半に広まると、人々は洗練されたしきたりで振るまわれる一杯のお茶に心を和ませました。

□ 茶道は単に茶を飲むだけではありません。繊細で美しい雰囲気も魅力です。

□ 茶道では、茶を振るまう茶碗を愛でることも重要です。

□ 茶室と呼ばれる茶を点てる部屋には、生け花や掛け軸が飾られ、洗練された雰囲気を醸し出しています。

□ 茶道は大切な客をもてなすために、洗練された雰囲気を作り出すための芸術です。

高台寺の遺芳庵

□ 茶道にはさまざまな作法があります。茶室への入り方、挨拶の仕方、お菓子の食べ方、茶の飲み方などを覚える必要があります。

□ 複雑な作法は、日本人でもよく知りません。大切なのは、リラックスしてその雰囲気や伝統を楽しむことです。

生け花

□ 生け花は日本の伝統的なフラワーアレンジメントのことです。

□ 生け花のことを華道ともいい、この伝統的な日本のフラワーアレンジメントは、室町時代に発展しました。

La cérémonie du thé

La cérémonie du thé est une cérémonie typiquement japonaise au cours de laquelle on prépare et offre le thé.

La cérémonie du thé a une histoire pluriséculaire, derrière laquelle se cache aussi une notion philosophique.

Pour la cérémonie du thé, on utilise de la poudre de thé vert, le matcha.

Comparé au thé vert en feuilles, le matcha a un goût plus corsé.

La cérémonie du thé s'est développée avec le zen, dans la deuxième moitié du 16ème siècle, elle a été fondée par Sen-no-Rikyû.

La cérémonie du thé s'est fait connaître dans la deuxième moitié du 16ème siècle. Les gens s'apaisaient avec le thé servi selon une coutume raffinée.

La cérémonie du thé ne consiste pas seulement à boire du thé. Son charme est l'ambiance subtile et belle qui est créé durant la cérémonie.

À la cérémonie du thé, c'est important d'admirer le bol dans lequel le thé est servi.

On sert le thé dans une pièce qu'on appelle « Chashitsu ». Pour y créer une ambiance raffinée, on met de l'Ikebana ou on accroche un « Kaké-jiku ».

La cérémonie du thé est un art de créer une ambiance raffinée pour recevoir des invités importants.

Il exite plusieurs rituels à respecter. Il faut apprendre les manières d'entrer dans la pièce, de saluer, de manger les gâteaux et boire le thé.

Même les Japonais ne connaissent pas toutes les règles de la cérémonie du thé. Le plus important est de se détendre et de se réjouir de la tradition et de l'ambiance.

L'Ikebana

On appelle Ikebana l'arrangement floral traditionnel du Japon.

Kadô, l'art floral traditionnel japonais date de l'époque Muromachi.

□ 明治時代以降、生け花のコンセプトは、西洋のフラワーアレンジメントにも影響を与えました。

□ 生け花が空間の芸術と言われるのは、空間と花のラインを組み合わせるものだからです。

□ 池坊は、日本最大の華道の流派です。

□ 池坊専慶は室町時代の僧で、池坊流の華道の基礎をつくりました。

短歌・俳句

□ 短歌は日本の伝統的な詩で、5－7－5－7－7の五句体です。

□ 最初の3句を上の句、あとの2句を下の句といいます。

□ 短歌は古代よりつくられています。

□ 昔は感情や思いを伝えるために短歌を交換しました。

□ 辞世とは、死ぬ前につくられる短歌のことです。

□ 俳句は、短歌の上の句から生まれました。俳句は5－7－5の3句からなります。

□ 俳句は海外にも紹介され、世界中で楽しまれています。

□ 川柳は風刺や皮肉を盛り込んだ詩で、俳句と同じ形式です。江戸時代に流行しました。

□ 狂歌は風刺や皮肉を盛り込んだ詩で、短歌と同じ形式です。江戸時代に流行しました。

Le concept d'Ikebana a influencé l'art floral occidental depuis l'ère Meiji.

On dit que l'Ikebana est un art de l'espace, car il associe le tracé des fleurs et l'espace.

Ikenobô est la plus grande école de Kadô du Japon.

Les bases du Kadô de l'école Ikénobo ont été par Ikenobô-Senkei, un moine de l'époque Muromachi.

Tanka et Haïku

Le Tanka est un poème qui se compose de cinq vers : cinq (pieds), sept (pieds), cinq (pieds), sept (pieds) et sept (pieds).

On appelle « vers du haut » les trois premiers vers, et « vers du bas » les deux derniers vers.

On écrit des Tanka depuis l'antiquité.

Autrefois, on échangeait des Tanka pour transmettre ses émotions et sa pensée.

Le « Jisei » est un Tanka qu'on écrit avant de mourir.

Le Haïku est un poème né des trois « vers du haut » du Tanka. Le Haïku se compose de trois vers de cinq, sept et cinq pieds.

On a présenté les Haïku à l'étranger, et le monde entier les apprécie.

Le « Senryû » est un poème humoristique et ironique qui a la même forme que le Haïku. Il s'est développé à l'époque Edo.

Le « Kyôka » est un poème humoristique et ironique qui a la même forme que le Tanka. Il s'est développé à l'époque Edo.

現代文化・風潮

伝統の日本だけでなく、今の日本を紹介します。マンガ・アニメ、オタク文化から、コスプレまで、新しい日本の情報をフランス語で話してみましょう。

マンガ・アニメ

□ マンガとは、日本のコミックまたはグラフィックノベルのことです。

□ マンガは、日本のポップカルチャーの中でも最もよく知られています。

□ 今ではマンガという言葉は、世界中で知られています。

□ 50年代、60年代にはマンガ家が素晴らしい話を作り出し、マンガ雑誌を出版する出版社にとっては稼ぎ頭となりました。

□ マンガはずっと長いこと人気があったので、あらゆる世代の日本の人々に読まれ、楽しまれています。

□ 出版社は、マンガを取り入れたハウツー本、ノンフィクション本、さらには若者・大人向けに教育的な本を出版することもあります。

□ 京都には日本初のマンガミュージアムがあり、貴重な資料や展示を見たり、国内外で人気の名作を読んだりすることができます。

□ マンガだけでなくアニメも同様、ビジュアルはコンピューターで制作され、この形式は日本から世界へと広がっていきました。

□ 日本のアニメは、ジャンルの幅広さや物語の世界観、作画の質の高さから、海外でも絶大な人気を誇っています。

Track 13

Manga et animés

On appelle « manga » les romans graphiques et les bandes dessinées japonaises.

Les « manga » sont la forme la plus connue de la pop-culture japonaise.

Aujourd'hui, le mot « manga » est connu dans le monde entier.

Durant les années 1950 et 1960, les auteurs de « manga » ont écrit de nombreuses histoires de grande qualité, et les revues de « manga » sont devenues une source de revenus importante pour leurs maisons d'édition.

Comme les « mangas » ont du succès depuis de nombreuses années, toutes les générations de Japonais en lisent.

Les éditeurs publient aussi des « mangas » qui donnent des conseils pratiques, des « mangas » de non-fiction, et toutes sortes de « mangas » éducatifs destinés aux adultes ou aux plus jeunes.

Le premier musée de Manga a été créé à Kyoto. On peut voir des expositions et des documents importants, et lire les chefs-d'œuvre de mangas célèbres au Japon et ailleurs.

Outre les « mangas », l'animation japonaise également a du succès dans le monde entier, et ses visuels sont élaborés sur ordinateur.

L'animation japonaise a une popularité sans pareil dans les pays étrangers grâce à la diversité des genres, aux mondes élaborés des histoires et par la grande qualité des dessins.

□ アニメの主題歌やBGMに使用された日本の楽曲も、海外での人気が高まっています。

オタク文化

□ オタク文化は、アニメ、SF、マンガといった日本のポップカルチャーや若者のライフスタイルの象徴です。

□ オタクとは、アニメやゲームなど特定の分野に興味を持つ人たちのことです。

□ オタク文化は、今では世界中に広まっています。

□ オタクと並んで海外に紹介された「かわいい」は、フランス語で「ミニョン」と言います。

□ 多くの日本人は、何か愛らしいものを見ると「かわいい」と言います。

□ 秋葉原や池袋は、東京都内のオタク文化の中心地です。

□ 秋葉原や池袋には、オタク文化の象徴的な品やコスチュームを売る店がたくさんあります。

コスプレ

□ 今ではコスプレは世界中で認知されています。コスチュームとプレイの造語です。

□ コスプレとは、アニメ、ゲーム、マンガなどのキャラクターを真似て、コスチュームを着て、化粧をしたりすることです。

□ コスプレを趣味や仕事にしている人のことを「コスプレイヤー」と呼びます。

□ 日本のアニメ、マンガ、コンピューターゲームが世界中の若者に人気があるため、メイドインジャパンのコスプレも多くの国に広まっています。

□ メイドカフェでは、かわいいメイドのコスチュームを着た少女が、コーヒーや飲み物を出してくれます。

Les chansons et musiques du fonds sont aussi populaires à l'étranger.

La culture Otaku

La culture « Otaku » est le symbole de la pop-culture japonaise centrée sur les mangas et les animés, ainsi que le style de vie de la jeunesse qui les consomme.

On appelle « Otaku » les personnes qui s'intéressent à des genres de pop-culture japonaise particuliers tels que les animés et jeux vidéo.

De nos jours, la culture Otaku s'est répandue dans le monde entier.

Le terme « Kawaii » s'est répandu en même temps que le mot Otaku. Il veut dire « mignon » en japonais.

De nombreux Japonais utilisent le mot « kawaii » pour désigner ce qu'ils trouvent mignon.

Akihabara et Ikebukuro sont les centres de la culture « Otaku » à Tokyo.

Il y a beaucoup de boutiques qui vendent des produits et des figurines liées à la culture « Otaku » dans le quartier de Akihabara et d'Ikebukuro.

Le Cosplay

Aujourd'hui, le cosplay se pratique dans le monde entier. Le mot est formé par l'union des mots « costume » et « play ».

Le cosplay consiste à porter des costumes et se maquiller, afin de ressembler à un personnage d'animé, de « manga », ou de jeu vidéo.

On appelle « Cosplayer (cosplayeur) » les personnes qui en sont favoris ou qui vivent des cosplays.

Comme les animés, « manga » et jeux vidéos japonais ont du succès dans le monde entier, le cosplay « made in Japan » aussi se diffuse dans de nombreux pays.

Dans les « maid-cafés », des jeunes filles « kawaii » costumées en soubrettes servent le café et les boissons aux clients.

歌謡曲・演歌

□ 第二次世界大戦後、多くのポップミュージックが日本に紹介され、日本にある昔からの音楽と結びつきました。

□ Ｊポップは、ジャパニーズ・ポップ・ミュージックの略で、日本だけでなく、多くの国々でも売られています。

□ Ｊポップを通して、日本の最新のポップミュージックの詩やリズムが楽しまれています。

□ 演歌は、大衆音楽のジャンルの一つで、日本古来の民謡の影響があります。

□ 演歌で歌われるのは、愛、情念、日本の心などです。

□ 世界的に有名なＫポップと言われる韓国のポップミュージックも、日本人の間でとても人気があります。

コンビニ文化

□ コンビニは、英語の"コンビニエンスストア convenience store"の略称です。「便利な店」という意味です。

□ コンビニなしには、日本の都会での生活は成り立ちません。

□ 日本のコンビニでは、24時間いつでもどこのお店に行っても、同じような商品・サービスを得ることができます。

□ 日本全国にコンビニは55,000軒以上あります。

□ コンビニで、公共料金を払ったり、オンラインで注文した本を受け取ったり、荷物を送ったりすることができます。

□ もし出張先で下着や靴下が足りなくなったら、コンビニに行って買うことができます。

Chanson populaire / Enka

Après la seconde guerre mondiale, de nouvelles formes de pop-music ont été importées au Japon, et elles se sont mêlées aux formes de musiques qui existaient depuis longtemps dans le pays.

J-pop est l'abréviation de « Japanese pop-music ». On en écoute non seulement au Japon, mais aussi dans de nombreux pays étrangers.

Grâce à la J-pop, les paroles et les rythmes les plus récents de la pop-music japonaise sont appréciés partout dans le monde.

Le enka est un genre de musique populaire, influencé par les anciens chants traditionnels japonais.

Le enka chante l'amour, la passion, et l'âme japonaise.

La pop-music coréenne, appelée K-pop, célèbre dans le monde entier, a également beaucoup de succès au Japon.

Les combinis : Superette

Combini est l'abréviation de l'anglais « convenience store ». Cela veut dire « magasin pratique ».

Sans combini, la vie dans les villes japonaises serait impossible.

Partout dans le pays, et dans n'importe quel combini japonais, on peut bénéficier 24h sur 24 de mêmes produits et mêmes services.

Il existe 55 mille combinis dans tout le Japon.

Au combini, on peut aussi payer ses factures, récupérer des commandes faites sur internet, ou envoyer des bagages.

Si, quand on est en voyage, on manque de sous-vêtements ou de chaussettes, on peut aller en acheter au combini.

携帯文化

□ 多くの日本人が、雑誌や新聞に代わり、デジタルコンテンツから情報を得ています。

□ 携帯電話とインターネットの普及によって、日本人のライフスタイルと文化は変わりました。

□ 絵文字は、e メールやスマホでメッセージを送るときに使います。

□ 犯罪などの違法行為をするウェブサイトを、闇サイトと呼びます。

□ 犯罪から子どもを守るために、スマホのGPS機能が使われることもあります。

La culture portable

Ces derniers temps, de nombreux Japonais consultent les contenus et informations sur des supports numériques, plutôt que d'acheter des revues ou des journaux.

Les portables et internet ont offert un nouveau style de vie et une nouvelle culture aux Japonais.

Quand on envoie des messages par son portable ou courriels, on utilise des émoticônes.

On trouve également des sites qui diffusent des informations criminelles. On appelle de tels sites des « sites noirs ».

Pour protéger les enfants des criminels, on utilise les fonctions GPS des portables.

スポーツ

古来より行われてきた伝統ある相撲から、柔道、空手、剣道、合気道まで日本の武道を紹介します。

相撲

□ 相撲とは、日本の伝統的なレスリングのことです。

□ 相撲の起源は、古代まで遡ることができます。

□ 相撲は神々を崇拝するための特別な取組として発展しました。

□ 歴史的に、相撲は神道と深い関係があります。

□ 相撲の取組は、神々への感謝を表すために行われました。

□ 土俵は力士が相撲を取る特別なリングのことです。

□ 相撲取りは、神聖な場所とされる土俵という特別なリングで取り組みを行います。

□ 今では職業としての相撲の興行は、日本相撲協会が主催しています。

□ 今では相撲の興行は、日本相撲協会が主催しており、2ヵ月ごとに行われます。

□ 公式な相撲の取組は2ヵ月ごと、15日間にわたって行われます。

□ 公式な相撲の取組では、最も多くの取り組みに勝った力士が、優勝となります。

□ 相撲の番付の最上位は横綱です。番付とは力士のランクを表す順位表のことです。

Track 14

1860 年代、歌川国貞による相撲絵

Le Sumo

Le sumo est une forme de lutte traditionnelle japonaise.

L'origine du sumo remonte à l'antiquité.

Le sumo est apparu comme une forme de lutte spéciale visant à révérer les dieux.

Le sumo a des liens historiques profonds avec la religion shintô.

Les matchs de sumo étaient organisés pour remercier les divinités.

Le « Dohyô » est le ring spécial où les lutteurs de sumo s'affrontent.

Les sumotori s'affrontent sur un terrain sacré appelé « Dohyô ».

De nos jours, les représentations des professionnels de sumo sont gérés par l'Association japonaise de sumo.

Les représentations de sumo sont gérées par l'Association japonaise de sumo, et se déroulent tous les deux mois.

Les tournois officiels de sumo se déroulent tous les deux mois, et durent deux semaines.

Le lutteur de sumo qui a remporté le plus de matches pendant le tournoi est déclaré vainqueur.

Le plus haut rang du sumo est celui de yokozuna. On appelle « Banzuké » la liste des rangs des combattants.

□ 力士は成績によってランク付けされており、最も高いのが横綱です。

□ 現代のスポーツとしての相撲にも、古来から続く伝統様式が多く残っています。

□ 相撲取りの独特の髪型は、封建時代から変わっていません。

□ 相撲を取る際、力士たちはほぼ裸同然です。

□ 力士は、どこにも武器を隠していないことを証明するために、ほぼ裸同然で相撲を取ります。

□ 相撲を取るとき、力士はまわしと呼ばれるふんどしのようなものしか身に着けません。

□ 取り組みの前、力士は多くの儀式に従わなければなりません。

□ 古代まで遡れる相撲の儀式に、外国人は引きつけられます。

□ 人々は、ほかでは見られない儀式や、激しい取組に魅了されます。

□ 相撲はスポーツとしてだけでなく、美的に優れた伝統としても楽しまれています。

□ 土俵に上がる前、力士は口をすすぎます。

□ 土俵の上で、力士は塩を投げ、邪悪なものを取り払います。

□ 土俵上で、力士は四股を踏みますが、これは病気や不幸などの悪い気を地下に押し込めるためです。

□ 土俵上で、力士はしゃがんで、神への挨拶としてパンと両手をたたきます。

□ 力士が所属する個別の組織を部屋と呼び、親方と呼ばれる主が力士の面倒を見ます。

En sumo, le rang des combattants est évalué selon ses résultats, et le rang ultime est celui de yokozuna.

Le sumo, en tant que sport de nos jours, respecte toujours de nombreuses traditions.

La coiffure particulière des sumotori n'a pas été changée depuis l'époque féodale.

Lorsqu'ils s'affrontent, les lutteurs sont quasiment nus.

Les lutteurs s'affrontent quasiment nus, pour prouver qu'ils ne cachent pas d'arme sur eux.

Les lutteurs de sumo ne portent qu'un cache-sexe appelé « Mawashi » lorsqu'ils combattent.

Avant de s'affronter, les lutteurs doivent effectuer de nombreux rituels.

Les étrangers sont attirés par les rituels antiques du sumo.

Les gens sont fascinés par les luttes violentes et les rituels exotiques du sumo.

On apprécie le sumo non seulement en tant que sport, mais aussi pour la qualité esthétique de ses traditions.

Avant de monter sur le « Dohyô », les lutteurs se rincent la bouche.

Les lutteurs lancent du sel sur le « Dohyô », afin de le purifier des mauvais esprits.

Sur le « Dohyô », les lutteurs écartent les jambes et frappent le sol, afin de rejeter sous terre les mauvaises énergies, sources de malheurs et de maladies.

Sur le « Dohyô », les lutteurs s'accroupissent, et tapent dans leurs mais pour saluer les dieux.

Chaque lutteur fait partie d'un foyer. Le chef d'un foyer s'appelle « Oyakata » et s'occupe des lutteurs.

□ 力士は朝食の前に、それぞれの部屋の土俵で激しい稽古を行います。

□ 国技館は相撲の本拠地で、東京の両国にあります。

□ 東京の両国近辺には50ほどの相撲部屋があります。

□ 相撲は伝統的なスポーツですが、近年はモンゴルやヨーロッパからも多くの外国人力士が日本にやって来て、競技に参加しています。

野球

□ 野球は、サッカーや相撲と並び、日本で最も人気のあるスポーツの一つです。

□ 学校や町にある地元の野球チームに多くの子どもたちが参加しています。

□ 1年に2度、春と夏には大阪近くの甲子園で、全国的な高校野球の大会が行われます。

□ 夏の全国高等学校野球選手権大会では、各県で優勝したチームの熱烈な応援団が集まり、自分たちの代表を応援します。まるでお祭りのような雰囲気です。

□ 才能を見出された選手は、早い段階からプロ野球への道が開かれます。

□ 野球が日本に紹介されたのは1872年のことです。

□ 野球は1872年に日本に紹介され、1920年にはプロ野球リーグが発足しました。

□ 日本にはプロ野球の球団が12あります。

□ 現在日本にはセ・リーグとパ・リーグの2つのリーグがあります。

Tous les matins, avant le petit déjeuner, les lutteurs s'entraînent durement sur un « Dohyô » dans leur foyer.

La salle principale de sumo s'appelle le Kokugikan, et se trouve à Tokyo, dans le quartier de Ryôgoku.

On trouve près de 50 foyers de sumo dans les environs de Ryôgoku à Tokyo.

Le sumo est un sport traditionnel, mais ces derniers temps, de nombreux lutteurs étrangers venus de Mongolie et d'Europe participent aux combats.

Le base-ball

Le base-ball est un des sports les plus populaires au Japon, avec le sumo et le football.

Beaucoup d'enfants jouent du base-ball dans l'équipe locale d'école ou du quartier.

Deux fois par an, au printemps et en été, le Tournoi national inter-lycées a lieu dans le stade de Kôshien, près d'Osaka.

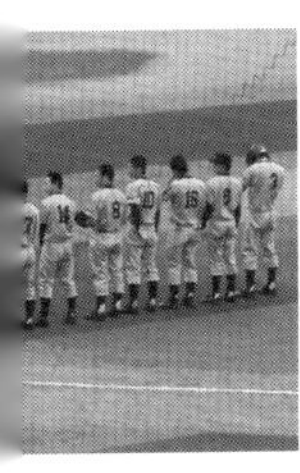

Pendant le Tournoi national inter-lycées, les équipes qui ont remportées les tournois locaux sont soutenues par des groupes de supporters, ce qui crée une ambiance de fête.

Les joueurs dont le talent est reconnu intègrent rapidement le monde du base-ball professionnel.

Le base-ball a été introduit au Japon en 1872.

Le base-ball a été introduit au Japon en 1872, et la ligue professionnelle de base-ball a débuté en 1920.

Il y a 12 équipes professionnelles de base-ball au Japon.

Il y a aujourd'hui deux ligues de base-ball au Japon : la ligue « Pa (Pacifique) » et la ligue « Sé (Centrale) ».

□アメリカのメジャーリーグにスカウトされるプロ選手も年々増えています。

サッカー

□野球と同じように、日本ではサッカーもさかんです。

□アジアでは、日本の強敵は韓国です。

□2002年のワールドカップは日本と韓国の共催でした。

□Ｊリーグは日本のプロサッカーリーグで、1991年に発足しました。

□多くの日本人サッカー選手が、日本以外の国でプレーしています。

柔道

□柔道は1882年に嘉納治五郎が創始した武道です。

□柔道は世界中に広まり、オリンピック競技になっています。

□柔道は日本の武道で、国を超え広がっています。

□柔道は、古くは柔術と呼ばれた武道から派生したものです。

□柔道の技は、投技、固技、当身技があります。

□柔道の礼は、相手への敬意です。そのため対戦の前と後には互いにお辞儀をします。

□柔道の技は、攻撃をしかけずに相手の力を利用して勝つことです。柔は剛を制すと言われています。

Le nombre de joueurs professionnels japonais recrutés par les équipes de la Major League américaine augmente d'année en année.

Le football

Tout comme le base-ball, le football a un grand succès au Japon.

En Asie, le grand rival du Japon est la Corée du Sud.

La coupe du monde de 2002 a été co-organisée par le Japon et la Corée du Sud.

La J-League est la ligue professionnelle de football japonaise créée en 1991.

De nombreux joueurs japonais de football jouent à l'étranger.

Judo

Le judo est un art martial créé en 1882 par Jigorô Kanô.

Le judo est pratiqué dans le monde entier, et est une discipline olympique.

Le judo est un art martial japonais, mais il est aujourd'hui pratiqué dans le monde entier.

Le judo a été développé à partir d'un art martial ancien appelé jû-jutsu.

On trouve parmi les techniques de judo des projections, des immobilisations et des coups.

Le salut au judo exprime le respect de l'adversaire. C'est pourquoi les judokas se saluent au début et à la fin d'un combat.

La technique du judo consiste à gagner sans attaquer, mais en utilisant la force de l'adversaire.

空手

□ 空手は沖縄発祥の武道です。

□ 空手はカンフーとは違います。沖縄生まれの武道で、古い中国の拳法を取り入れながら発展したものです。

□ 空手は素手で敵を倒す武道です。

□ 空手は自分の体を鍛え、それを武器とする武道です。

□ 空手は腕、手、足、頭を武器のように使う武道です。

□ 空手は防御のためのもので、攻撃されたときだけ戦います。

□ 空手の最もユニークなところは、そのスピードにあります。空手家は、瞬時に全パワーを集中させ、防御から攻撃へと移ります。

□ 柔道のように、今では空手も世界に広まっています。

□ 空手では、師は弟子に対戦のパターンとして多くの型を学ばせます。

合気道

□ 合気道は日本の武道の一つで、空手同様、素手で相手を制します。

□ 合気道は日本の武道で、柔道のもとである柔術から発祥しました。

□ 合気道がユニークな武道と言われるのは、名人が相手の力を瞬時に、大した動きもなく奪うことができるからです。

□ 合気道は、瞬く間に相手の力を使って倒します。

□ 合気道は、反撃がうまくいくと、瞬時に相手を動けなくします。

Le karaté

Le karaté est un art martial d'Okinawa.

Le karaté est différent du kung-fu. Né à Okinawa, le karaté s'est dévelopé en intégrant les techniques des arts martiaux chinois anciens.

Le karaté est un art martial visant à abattre son ennemi à mains vides.

Le karaté est un art martial dans lequel on renforce son corps pour en faire une arme.

Le karaté est un art martial où on se sert de ses bras, de ses mains, de ses pieds et de sa tête comme d'armes.

Comme le karaté sert d'abord à se défendre, on ne se bat qu'après avoir été attaqué.

Ce qui fait la partidularité dans le karaté, c'est la rapidité. On concentre en un instant toute sa force pour passer de la défense à l'attaque.

Comme le judo, le karaté est aujourd'hui pratiqué dans le monde entier.

Comme en karaté, les disciples s'approprient le style transmis par leur maître, il en existe aujourd'hui de nombreux styles différents.

L'aïkido

L'aïkido est un art martial japonais. Comme le karaté, c'est une technique de défense à mains nues.

Comme le judo, l'aïkido a pour origine le jû-jutsu.

On dit souvent que l'aïkido est un art martial hors du commun, car les maîtres peuvent retourner la force de leur adversaire, en un instant, presque sans bouger.

L'aïkido utilise la force de l'adversaire pour le vaincre en un instant.

En aïkido, lorsqu'une contre-attaque est effectuée correctement, elle peut immobiliser l'adversaire en un instant.

剣道

□ 剣道は日本の武道の一つです。

□ 日本の剣術の技は、内乱が続いた16世紀頃に発展しました。

□ 江戸時代、侍は道場と呼ばれる稽古場で剣の技を磨きました。

□ 江戸時代には、独自の剣術の技を作り上げた名人がたくさんいました。

□ 近代の剣道は、竹刀と防具を使って試合をします。

□ 剣道では、面、胴、小手を打つことでポイントが入ります。首の前側を突くことでもポイントが入ります。

□ 中学校では、武道の授業として柔道と剣道を採用しているところが多いです。

Le kendo

Le kendo est un des arts martiaux japonais.

Les techniques de sabre japonaises ont beaucoup progressé durant le 16ème siècle, période de guerre civile continue.

Pendant la période d'Edo, les samouraïs perfectionnaient leurs techniques de sabre dans une salle d'entraînement appelée « Dôjô ».

Pendant la période d'Edo, de nombreux experts du sabre ont développé leur propre technique.

Aujourd'hui, le kendo se pratique avec un sabre de bambou et un matériel de protection.

En kendo, on marque des points en frappant le visage, le corps et les avant-bras. On marque également des points en frappant d'estoc l'avant du cou.

Dans beaucoup de collèges, le judo et le kendo sont choisis pour le cours d'arts martiaux.

＼ちょこっと／

知っておきたいフランスのこと④

フランス本土とDROM（フランス海外県）とCOM（海外自治体）

私たちのよく知るフランスの正式名称は「フランス共和国」でヨーロッパにありますが、実はそれだけではないことをご存じでしたか？　その形から「L'Hexagone（レグザゴーヌ）（六角形）」と呼ばれる大陸に位置するフランス、英仏海峡の島々および地中海のコルシカ島は「フランス本土」（通称 La France métropolitaine，この呼び方を植民地主義の名残として嫌う人もいます）と称されます。そこから何千キロも離れた場所にも「フランス」の領土があるのです。

フランス本土から遠く離れた太平洋、大西洋とインド洋には、飛び地のようにフランスの領土が存在します。これはかつてフランスの植民地であった場所です。美しい海に囲まれている島が多く、フランス人のヴァカンス地としても人気があります。

これらの飛び地は厳密には６種類に分類されますが、南極のように研究施設と研究者のみで住民はいない、という場所もあります。大部分はフランス海外県（Département et Région d'outre-mer）と海外自治体（Collectivités d'outre-mer）のいずれかに分類されます。頭文字を取ってそれぞれDROM、COMと呼ばれます。フランス海外県はフランス本土の県と全く同じ地位で扱われ、本土の法律と政令が同様に適用されます。つまりEUの一員でもあるわけで、通貨はユーロとなります。これに対して海外自治体は、フランス政府ではなく独自の法律と政令に従う文字通りの「自治」を行っていますが、国防と安全に関してはフランス政府に従わねばなりません。

海外県・海外地域圏（DROM）：グアドループ、マルティニーク、ギアナ、レユニオン、マヨット
特別海外領土：フランス領南方・南極地域（インド洋無人島群を含む）
海外自治体（COM）：サンピエール島、ミクロン島、ウォリス・フツナ、サン・バルテルミー島、サン・マルタン島
海外地方（POM, Pays d'outre-mer）：フランス領ポリネシア
特別自治体（CSG, Collectivité sui generis）：ニューカレドニア
政府直轄領：クリッパートン島

最後に詳細は省きますが、海外自治体がどれだけフランス本土の行政とかけ離れているか、いくつか例を見てみましょう。

・ウォリス・フツナは３つの王国があり、それぞれの王とフランス大統領の代行者としてフランス本土から派遣された行政長官が準県議会の構成員になる（準県議会は３人の王たちと行政長官、準県議会の助言で行政長官が任命する３人の議員によって構成される）。
・サン・バルテルミー島では、かつてスウェーデン領だった時の法律の名残で税金の免除がある。
・ニューカレドニア、ウォリス・フツナ、フランス領ポリネシアの通貨はパシフィック・フランで、ユーロではない。

第5章

日本各地の説明

東京
京都
大阪
北海道
東北地方
関東地方
中部地方
近畿地方
中国地方
四国地方
九州地方

東京

日本の首都である東京には、毎年多くの外国人旅行者が訪れます。東京の概要、交通、歴史、江戸情緒、そして観光スポットについてフランス語で語ってみましょう。

東京の概要

□ 東京は日本の首都です。

□ 東京は日本の政治、経済、文化の中心です。

□ 東京は巨大な都市です。

□ 東京は巨大な都市で、一日では堪能できません。

□ 東京は人口が密集した都市です。

□ 東京は巨大で、人口が密集しています。

□ 東京都の人口は約1,400万人です。

□ 現在、東京都には約1,400万人が住んでいます。

□ 東京都には23区あります。

□ 東京23区には、約970万人が住んでいます。

□ 東京都と周辺地域をあわせ、首都圏といいます。

□ 首都圏は東京都のほかに、神奈川、千葉、埼玉県で構成されています。

□ 首都圏には、約3,560万人が住んでいます。

Track 15

都庁

Aperçu de Tokyo

Tokyo est la capitale du Japon.

Tokyo est le centre politique, économique et culturel du Japon.

Tokyo est une très grande ville.

Comme Tokyo est une très grande ville, il est impossible d'en faire le tour en un jour.

Tokyo est une ville densément peuplée.

Tokyo est une très grande ville, où la population est très concentrée.

La préfecture de Tokyo a une population de 14 000 000 habitants.

14 000 000 personnes habitent actuellement dans la préfecture de Tokyo.

La ville de Tokyo même compte 23 arrondissements.

9 700 000 personnes habitent dans les 23 arrondissements de Tokyo.

On appelle la préfecture de Tokyo et ses environs l'agglomération de la capitale.

Outre Tokyo, l'agglomération de la capitale inclut également les préfectures de Kanagawa, Chiba et Saïtama.

35 600 000 personnes habitent dans l'agglomération de la capitale.

□ 現在、970万の人が東京23区に住んでいて、首都圏には3,560万の人が住んでいます。

□ 首都圏は、世界のどの大都市圏よりも人口が多いです。

□ 日本のGDPのおよそ5分の1はここで生み出されています。

東京の交通

□ 東京では、電車と地下鉄を使うことをおすすめします。

□ 東京の電車と地下鉄のネットワークはとても効率的です。

□ 東京だけで50以上の電車と地下鉄が走っています。

□ 東京では、50以上の通勤電車、地下鉄が走っています。

□ 東京の新宿駅は毎日350万人以上の乗客が利用しています。

□ 東京の百貨店やショッピングセンターは、主要駅の上に直接建てられています。

□ 東京には、主要駅をつなぐ山手線という環状線があり、ほかの私鉄や地下鉄に乗り換えることができます。

□ 東京駅は新幹線の終着駅で、日本中から新幹線が到着します。

□ 東京駅は新幹線の終着駅で、ここから東京の各地へ向かう電車や地下鉄に乗り換えることができます。

東京駅

□ 羽田空港は、日本各地から東京へ来るときの空の玄関口です。

□ 羽田空港は、日本各地から東京へ来るときの空の玄関口であり、かつ国際空港でもあります。

9 700 000 personnes habitent les 23 arrondissements de Tokyo, mais l'agglomération de la capitale compte plus de 35 600 000 d'habitants.

La population de l'agglomération de la capitale est la plus élevée des grandes villes du monde.

Un cinquième du PIB du Japon vient de cette région.

Les transports à Tokyo

À Tokyo, il est conseillé d'utiliser les trains et métros pour se déplacer.

Le réseau de train et de métro tokyoïte est très efficace.

À Tokyo seulement, il y a plus de cinquante lignes de trains et métros.

À Tokyo, plus de cinquante lignes de trains et métros fonctionnent.

Plus de trois millions cinq cent mille passagers transitent chaque jour par la gare de Shinjuku.

Les grands magasins et les centres commerciaux de Tokyo sont construits directement au-dessus des gares.

À Tokyo, la ligne Yamanoté est une ligne circulaire qui relie toutes les gares importantes de la ville ; on peut changer pour les autres lignes de train et de métro à partir de celle-ci.

La gare de Tokyo est le terminus des Shinkansen, et des Shinkansen venus de tout le Japon s'y arrêtent.

La gare de Tokyo est le terminus des Shinkansen, et on peut y prendre des trains et les métros qui se rendent dans tous les quartiers de la ville.

L'aéroport de Hanéda est le portail aérien de Tokyo, où arrivent des avions venus de tout le Japon.

L'aéroport de Hanéda est le portail aérien de Tokyo, où arrivent des avions venus de tout le Japon. C'est également un aéroport international.

□ 山手線の浜松町駅で、羽田空港行きのモノレールに乗り換えられます。

□ 東京の主要駅は、東京、品川、渋谷、新宿、池袋、そして上野です。

東京の歴史

□ 東京とは、「東の都」の意味です。

□ 東京という名は、1869年まで都だった京都から、東に450キロの位置に移ったことからきています。

□ 東京の歴史は、江戸城が建てられた1457年に始まりました。

□ 1869年以前、東京は江戸と呼ばれていました。

□ 江戸は東京の旧称です。

□ 1603年から1868年の間、幕府は江戸にありました。

□ 江戸は幕府があったところです。

□ 1868年までは、幕府は江戸にあり、朝廷は京都にありました。

□ 1869年に天皇が京都から東京に移り、東京は日本の首都になりました。

□ 江戸城は、現在は天皇の住まいである皇居となり、東京の中心部に位置しています。

□ 現在の皇居である江戸城は、東京駅の近くにあります。

□ 18世紀の江戸は、日本国内だけでなく世界でも最も人口の密集した都市でした。

On peut prendre un monorail pour l'aéroport de Hanéda à la gare de Hamamatsuchô, sur la ligne Yamanoté.

Les gares principales de Tokyo sont Tokyo, Shinagawa, Shibuya, Shinjuku, Ikébukuro, et Uéno.

L'histoire de Tokyo

Tokyo veut dire « la capitale de l'est ».

Le nom de Tokyo (littéralement « la capitale de l'est ») vient du fait qu'on a déplacé la capitale en 1869, de Kyoto (littéralement « la capitale de Kyo ») à 450 kilomètres à l'est.

L'histoire de Tokyo commence en 1457, avec la construction du château d'Edo.

Tokyo s'est appelée Edo jusqu'en 1869.

Edo est l'ancien nom de Tokyo.

De 1603 à 1869, les shoguns résidaient à Edo.

Le gouvernement des shoguns se trouvait à Edo.

Jusqu'en 1868, le gouvernement des shoguns était à Edo, alors que la cour impériale était à Kyoto.

En 1869, l'empereur a déménagé à Tokyo depuis Kyoto, et la ville est devenue la capitale du Japon.

Le château d'Edo, devenu aujourd'hui l'habitat de l'empereur, le palais impérial, est au centre de Tokyo.

Le château d'Edo, aujourd'hui palais impérial, est près de la gare de Tokyo.

Au 18ème siècle, Edo était non seulement a ville la plus densément peuplée du Japon, mais du monde.

□ 20世紀、東京は二度、ひどい被害を受けました。

□ 東京は1923年の関東大震災という地震で大きな被害を受けました。

□ 東京は第二次世界大戦中の東京大空襲で、多くの死傷者が出ました。

□ 20世紀、東京は関東大震災と東京大空襲で、二度の甚大な被害を受けました。

皇居内の正門石橋を臨む

江戸情緒

□ 下町を歩くと、昔ながらの江戸の生活を垣間見ることができます。

□ 東京の旧市街は、下町と呼ばれています。

□ 東京の旧市街は下町と呼ばれ、江戸の雰囲気が隅田川沿いに点々と残っています。

□ 東京の起源は江戸にあるので、東京を味わうには、江戸をよく知ることが大切です。

□ 江戸情緒は、今では浅草、谷中、両国、そして深川などの地域で見られます。

□ 東京の古い魅力を知るには、上野や浅草のような下町がおすすめです。

□ 浅草とその周辺は、今でも昔の江戸情緒を感じられる場所として知られています。

Au 20ème siècle, Tokyo a subi deux grands sinistres.

En 1923, Tokyo a été dévastée par le grand tremblement de terre du Kantô.

Les bombardements de Tokyo pendant la Seconde Guerre Mondiale ont causé de multitudes de morts et blessés.

Tokyo a subi deux grands sinistres au cours du 20ème siècle : le tremblement de terre du Kantô et les bombardements pendant la Seconde Guerre Mondiale.

桜田門。江戸城（現在の皇居）の内堀に造られた門の一つ

Le charme d'Edo

En flânant dans « Shitamachi », on peut entrevoir la vie quotidienne de l'ancienne Edo.

La vieille ville de Tokyo est appelée « Shitamachi ».

La vieille ville de Tokyo est appelée « Shitamachi », et l'atmosphère de l'ancienne Edo y survit, le long de la Sumida.

Pour profiter de Tokyo, il est important de bien connaître Edo, dont la ville tire son origine.

De nos jours, on peut ressentir le charme d'Edo dans des endroits comme Asakusa, Yanaka, Ryôgoku ou Fukagawa.

Si vous voulez découvrir le charme ancien de Tokyo, nous vous conseillons des quartiers de « Shitamachi » comme Ueno ou Asakusa.

Asakusa et ses environs sont un des lieux où on peut trouver le charme de l'Edo d'autrefois.

□ 浅草は東京でも最も人気のある観光スポットです。

□ 浅草の中心は、浅草寺です。

□ 谷中とその周辺は、ぶらぶら歩くのにうってつけの場所です。

谷中の夕焼けだんだん

□ 谷中近辺の裏通りには、寺、工芸品店、レストラン、古い民家などが並び、江戸の味わいを楽しむことができます。

□ 毎年、浅草寺には3000万の人が訪れます。

□ 浅草寺には観音菩薩が祀られています。

□ 浅草寺の参道は仲見世通りと呼ばれ、昔ながらの小物を買うことができます。

□ 浅草寺周辺では、伝統を生かした職人の手による工芸品に、浅草の真の良さを発見できます。

外国人にも人気の仲見世通り

東京の観光スポット

□ 東京で最も大きい卸売市場である豊洲では、生き生きした仲買人たちのやり取りを見られるので、見逃さないように。

□ 豊洲は東京最大の卸売り市場として知られています。海産物の取扱量は世界最大です。

□ 東京の中で、新宿、池袋、渋谷は日本でも有数の繁華街です。

□ 原宿は渋谷に近く、若者文化発祥の地とされています。

□ 東京の六本木、青山周辺は、ナイトライフを楽しめる場所です。

□ 六本木、青山周辺には、国際色豊かなレストランや、しゃれた店がたくさんあります。

Asakusa est le site touristique le plus apprécié de Tokyo.

Le centre du quartier de Asakusa est le temple Sensô-ji.

Le quartier de Yanaka est idéal pour flâner.

Dans les ruelles de Yanaka, des temples, des marchands d'art, des restaurants et d'anciennes propriétés se succèdent, et le promeneur retrouve toute la saveur d'Edo.

Chaque année, 30 millions de personnes visitent le temple Sensô-ji.

Le boddhisatva Kannon est révéré au Sensô-ji.

La rue qui mène au Sensô-ji s'appelle Nakamisé, et on y trouve de petites boutiques d'antan.

Aux environs du Sensô-ji, on peut découvrir les véritables trésors d'Asakusa, avec des objets d'art, et des œuvres qui sont le fruit d'un artisanat traditionnel bien vivant.

Les lieux touristiques à Tokyo

Le plus grand marché de vente au gros de Tokyo est le marché de Toyosu. Il ne faut surtout pas le manquer, car on peut y admirer les échanges entre courtiers hauts en couleur.

Toyosu est connu pour être le plus grand marché de vente au gros de Tokyo. C'est là qu'on échange la plus grande quantité de produits de la mer au monde.

Les quartiers de Shinjuku, Ikébukuro et Shibuya font parties des quartiers les plus animés du Japon.

Harajuku est proche de Shibuya, et c'est le berceau de la culture jeune au Japon.

Dans le quartier de Roppongi et d'Aoyama, on peut jouir de la vie nocturne tokyoïte.

Dans les environs de Roppongi et d'Aoyama, on trouve de nombreux restaurants et boutiques à la mode, influencés par diverses cultures internationales.

□ 東京では世界中の美味しい食事を楽しむことができます。

□ 東京では、伝統的な日本食だけでなく、世界中の料理を楽しむことができます。

□ 新宿の近くの新大久保周辺には、大きな韓国人街があります。

□ 新宿の近くの新大久保周辺は、大きな韓国人街があり、本格的な韓国料理が食べられます。

□ 渋谷と新宿は、活気のある商業地区で、ショッピングやナイトライフを楽しめます。

□ 銀座は東京を代表する高級商業地で、ブランド店や老舗の名店が立ち並んでいます。

□ 東京駅近くの大手町は、東京の金融街です。

東京のウォーターフロントは
新しい観光スポット

À Tokyo, on peut déguster des plats délicieux venus de monde entier.

Outre la cuisine japonaise traditionnelle, on peut aussi se régaler à Tokyo avec de la cuisine venue du monde entier.

Aux environs de Shin-Ôkubo, à proximité de Shinjuku, il y a un grand quartier coréen.

Aux environs de Shin-Ôkubo, à proximité de Shinjuku, il y a un grand quartier coréen, où on peut manger de la cuisine coréenne authentique.

Shibuya et Shinjuku sont des quartiers commerçants animés, où on peut faire du shopping et profiter de la vie nocturne.

Ginza est le quartier commerçant de luxe représentatif de Tokyo. On y trouve toutes les boutiques de grandes marques et des magasins anciens.

Le quartier de Ôtemachi, près de la gare de Tokyo, et le quartier de la finance de la ville.

京都

その昔、唐の都「長安」を模したといわれる京都は、世界中の人があこがれる観光スポットです。由緒ある寺社、四季折々の自然の楽しみ方など、見どころがいっぱいです。

京都の概要

□ 京都は、日本の主要な観光都市です。

□ 京都は昔、日本の首都でした。

□ 京都は794年から1869年の間、日本の首都でした。

□ 京都は盆地に位置しています。

□ 京都は内陸に位置しています。

□ 京都は東京の西、460キロのところに位置しています。

□ 東京から京都までは、新幹線で2時間15分かかります。

□ 大阪から京都までは、電車で30分ほどです。

□ 京都の人は、自分たちの歴史や伝統にとても誇りを持っています。

□ 京都は日本の中でも最も歴史的なところです。

□ 京都は古都であるだけでなく、日本の文化の中心です。

□ 歴史の街として知られている京都ですが、経済的にも重要なところです。

京都の象徴、京都タワー

Track 16

Aperçu de Kyoto

Kyoto est une ville touristique importante du Japon.

Autrefois, Kyoto était la capitale du Japon.

Kyoto a été la capitale du Japon de 794 à 1869.

Kyoto se trouve dans une cuvette.

Kyoto se trouve à l'intérieur des terres.

Kyoto se trouve à 460 kilomètres à l'ouest de Tokyo.

Il faut deux heures quinze pour se rendre en Shinkansen de Tokyo à Kyoto.

Il faut environ trente minutes pour se rendre à Kyoto depuis Osaka.

Les habitants de Kyoto sont très fiers de leur histoire et de leurs traditions.

Kyoto est l'endroit le plus riche en histoire du Japon.

Kyoto n'est pas seulement l'ancienne capitale du pays, c'est également le centre culturel du Japon.

Kyoto est très connue comme ville historique, mais c'est également un important centre économique.

京都の観光

□ 忙しい現代社会に暮らす日本人にとって、京都は精神的な癒しの場でもあります。

□ 数えきれないほどの名所旧跡が京都にはあります。

□ 美しい庭のある古い寺、神社、別荘、伝統の家など、数えきれない名所旧跡が京都にはあります。

□ 京都は街の中も郊外も、ぶらぶら歩いて見て回るのに、絶好の場所です。

□ 京都には、街なかだけでなく、郊外にもたくさんの素晴らしい所があります。

□ 2019年には、8700万人以上の人が京都を訪れています。

□ 京都の名所旧跡や文化遺産には、毎年100万人以上の海外の人が訪れています。

□ 京都には3000以上の寺や神社があります。

□ 京都にある多くの建築物や庭は、国宝です。

□ 京都には、様々な仏教宗派の本部になっている寺が、数多くあります。

□ 長い間、首都だった京都は、無数の政治的事件や争いごとの現場となりました。

京都の歴史

□ 天皇が宮廷を京都に移したのは、794年のことでした。

□ 794年から1185年まで、京都で天皇家が統治していた時代を、平安時代といいます。

□ 鎌倉幕府が崩壊した1333年、後醍醐天皇は京都に新政府を樹立しました。

Le tourisme à Kyoto

Pour les Japonais d'aujourd'hui, qui vivent dans une société à l'activité incessante, Kyoto est une ville qui incarne une certaine sérénité spirituelle.

On trouve à Kyoto d'innombrables sites historiques célèbres.

On trouve à Kyoto d'innombrables sites historiques célèbres, comme des temples anciens avec de magnifiques jardins, des sanctuaires, des villas ou des maisons traditionnelles.

Kyoto et ses environs sont des endroits parfaits pour flâner.

On trouve beaucoup d'endroits magnifiques non seulement dans la ville de Kyoto, mais aussi à ses alentours.

En 2019, plus de 87 millions de touristes ont visité Kyoto.

Chaque année, plus d'un million d'étrangers viennent visiter les sites historiques et le patrimoine culturel de Kyoto.

Il y a plus de 3 000 temples et sanctuaires à Kyoto.

Beaucoup de bâtiments et jardins de Kyoto sont des trésors nationaux.

On trouve à Kyoto les centres de nombreuses sectes bouddhiques.

Comme Kyoto a longtemps été la capitale du Japon, la ville a été la scène d'innombrables événements politiques et batailles.

L'histoire de Kyoto

L'Empereur a déplacé sa cour à Kyoto en l'an 794.

On appelle ère Heian la période de 794 à 1185 durant laquelle la famille impériale a régné depuis Kyoto.

Quand le shogunat de Kamakura s'est effondré en 1333, l'Empereur Go-Daigo a établi un nouveau gouvernement à Kyoto.

□ 京都の後醍醐天皇による新政府は、たった3年しか続きませんでした。

□ 1338年、足利尊氏が将軍に命じられ、京都に新しい幕府を開きました。

□ 京都は、1467年から1477年までの応仁の乱で、荒廃しました。

□ 1603年に徳川家康は将軍に任命され、江戸（現東京）に幕府を開きましたが、天皇は京都に残りました。

□ 徳川幕府崩壊の後、首都は京都から東京に移されました。

□ 今でも、京都御所と呼ばれる宮廷が京都にはあります。

□ 京都御所は、京都の中心地にあります。

□ 天皇家は、重要な儀式があるときはいつでも京都御所を訪れます。

□ 京都の二条城に行くと、見事な装飾の部屋を見ることができますが、そこは1867年に最後の将軍が政権を返上した場所でもあります。

京都の街歩き

□ 京都の下町では、古い家などが立ち並ぶ通りや路地を歩くことができます。

□ 古い商家を町屋といい、京都のあちこちにあります。

□ 京都の町屋では、いろいろな手工芸品や骨董品などを見ることができます。

□ 鴨川は京都の真ん中を流れています。

□ 京都の繁華街は河原町で、鴨川の西岸に位置しています。

Le nouveau gouvernement installé à Kyoto par l'Empereur Go-Daigo n'a duré que trois ans.

En 1338, Ashikaga Takauji est nommé shogun, et fonde un nouveau shogunat à Kyoto.

Les troubles de Ônin, de 1467 à 1477, réduisirent Kyoto en ruine.

En 1603, Tokugawa Iéyasu fut nommé shogun, et installa son gouvernement à Edo (l'actuelle Tokyo), mais Kyoto resta capitale impériale.

Après la chute du shogunat des Tokugawa, la capitale a été transférée de Kyoto à Tokyo.

Aujourd'hui encore, le palais appelé Kyoto-gosho se trouve à Kyoto.

Le Kyoto-gosho est au centre de Kyoto.

La famille impériale se rend souvent au Kyoto-gosho, à l'occasion des cérémonies importantes.

Si on se rend au palais de Nijô, on peut voir d'admirables pièces décorées. Ce palais est également l'endroit où le dernier shogun a rendu son pouvoir en 1867.

Se promener dans Kyoto

Dans le « Shitamachi » de Kyoto, on peut se promener dans des rues bordées de maisons anciennes.

De vieux commerces, appelés « Machiya », se trouvent partout à Kyoto.

Dans les « Machiya » de Kyoto, on peut voir toutes sortes d'objets d'art et d'antiquités.

La rivière Kamo coule au cœur de Kyoto.

Le quartier le plus animé de Kyoto est Kawaramachi, sur la rive ouest de la rivière Kamo.

□ 鴨川の西側には先斗町(ぽんとちょう)があり、古くからの料理屋が立ち並んでいます。

□ 祇園は京都の伝統的な歓楽街の中でも最も高級な界隈です。

□ 祇園は国の歴史保存地区で、古くからの民家、お茶屋、料理屋などがあります。

□ 京都では芸者のことを芸妓と呼びます。彼女たちは、伝統的なお茶屋や料理屋で働くプロの芸人です。

□ 舞妓はまだ修行中の芸妓のことで、祇園あたりでは着物を着て、髪を結った舞妓たちを見かけます。

□ 芸妓は遊女ではありません。芸妓とは洗練された身のこなしで、パトロンや大切な顧客を楽しませる女性のことです。

京都周辺

□ 東山は、京都東部の山がちな地域のことです。

□ 東山は、東部の山がちな地域で、古い寺院が並んでいます。

□ 清水寺から銀閣寺まで、東山地区には多くの有名な寺があります。

□ 北山地区は街の北西にあり、そこには有名な禅寺が点在しています。

□ 金閣寺、妙心寺、そして龍安寺は、北山地区にあります。

À l'ouest de la rivère Kamo, on trouve le quartier de Pontochô, bordée de nombreux restaurants depuis bien longtemps.

Gion est le plus luxueux des quartiers de divertissements traditionnels de Kyoto.

Gion est un quartier historique protégé, où on trouve des propriétés, des maisons de thé et des restaurants très anciens.

À Kyoto, les geisha sont appelées geiko. Ce sont des artistes professionnelles qui travaillent dans les maisons de thé ou les restaurants traditionnel.

Les maïko sont des geiko encore en apprentissage, et on aperçoit parfois dans Gion des maïko en kimono et en coiffure traditionnelle.

Les geiko ne sont pas de simples saltimbanques. Leurs mouvements sont raffinés et grâcieux, par lesquels ces femmes divertissent leur mécène ou clients importants.

La périphérie de Kyoto

Higashiyama est la zone montagneuse à l'est de Kyoto.

Higashiyama est la région montagneuse à l'est, où les anciens temples sont nombreux.

Des temples célèbres se trouvent à Higashiyama, depuis le Kiyomizu-déra jusqu'au Pavillon d'argent.

Le district de Kitayama, situé au nord-ouest de la ville, est parsemé de célèbres temples zen.

Le Kinkaku-ji, le Myôshin-ji et le Ryôan-ji se trouvent dans le district de Kitayama.

☐ 金閣寺は黄金の建築物として有名で、北山地区にあります。

☐ 龍安寺は石庭で有名です。

☐ 嵐山は、川の流域に点在する小さな寺を訪れたり、散策するにはうってつけの場所です。

☐ いくつかの歴史的な家屋や寺を訪ねるには、予約が必要です。

Le Kinkaku-ji, célèbre pour son pavillon d'or, se trouve dans le district de Kitayama.

Le Ryôan-ji est célèbre pour son jardin de pierres.

Arashiyama est l'endroit idéal pour flâner et visiter de petits temples qui parsèment la vallée.

Il est souvent nécessaire de réserver pour visiter de nombreux temples et propriétés.

龍安寺の石庭

大阪

日本の文化の中心地であった京都に近い大阪は、西日本最大の都市です。独自の食文化や芸能文化が発達したところでもあります。

大阪の概要

□ 大阪は東京から550キロ西のところに位置しています。

□ 東京と大阪の間は、新幹線で2時間半かかります。

□ 東京ー大阪間は、頻繁に電車が行き来しています。

□ 大阪は京都の近くです。

□ 大阪は、日本で2番目に大きな商業の中心地です。

□ 大阪とその周辺は、日本で2番目に大きな経済、ビジネスの中心地です。

大阪の交通

関西国際空港

□ 大阪の鉄道の玄関口は新大阪駅で、大阪駅の北東5キロのところにあります。

□ 大阪の国際空港は街の南側にあり、関西国際空港といいます。

□ 大阪の国内線向け空港は、大阪国際空港（伊丹空港）といいます。

□ 淀川は京都から大阪、そして大阪湾へと流れ込み、そこには大阪港があります。

□ 神戸は港湾都市で大阪の西に位置しています。

Track 17

Aperçu d'Osaka

Osaka se trouve à 550 kilomètres à l'ouest de Tokyo.

Cela prend deux heures et demie pour se rendre de Tokyo à Osaka en Shinkansen.

Les trains qui relient Tokyo à Osaka sont fréquents.

Osaka est près de Kyoto.

Osaka est la deuxième plus grande zone d'affaires du Japon.

Osaka et ses environs sont le deuxième plus grand centre économique et de business du Japon.

Les transports à Osaka

Le portail d'entrée du réseau ferré d'Osaka est la station de Shin-Osaka, qui se trouve à 5 kilomètres au nord-est de la gare d'Osaka.

L'aéroport international d'Osaka se trouve au sud de la ville, et s'appelle l'aéroport international du Kansaï.

L'aéroport d'Osaka consacré aux vols intérieurs s'appelle l'aéroport international d'Osaka (aéroport d'Itami).

Le fleuve Yodo coule de Kyoto à Osaka, puis se jette dans la baie d'Osaka, où se trouve le port de la ville.

Kobé est une ville portuaire, et se trouve à l'ouest d'Osaka.

□ 西から東へ、神戸、大阪、京都の3都市は、大阪都市圏を形成しています。

□ 大阪を中心とした広域圏を関西といいます。

□ 関西はかつて上方と言われていました。意味は"上の方"ということで、京都が長い間、首都だったからです。

大阪の人

□ 大阪市の人口は275万人です。

□ 大阪市の人口は275万人ですが、京都市、神戸市を含め周辺地域には約1900万の人が住んでいます。

□ 大阪弁とは、大阪の人が使う方言です。

□ 大阪の人たちは、大阪弁と言われるユニークな方言を使います。

□ 大阪の人たちは、東京の人より強い地元意識を持っています。

□ 大阪では、自分たちのユーモアのセンスに誇りを持っていて、独特のお笑いエンターテインメントがあります。

大阪の歴史

□ 大阪が日本で最も重要な都市になったのは、100年にわたる内戦の後、豊臣秀吉が日本を統一し、大阪城を築いたときです。

□ 100年の内戦を経て、日本を統一し大阪城を築いた豊臣秀吉は、大阪の人に人気のヒーローです。

□ もともとの大阪城は、豊臣秀頼が徳川家康に滅ぼされた1615年に焼失しました。

□ 徳川家康は1603年、江戸(現東京)に幕府を開き、12年後に大阪城の豊臣秀頼を倒しました。

D'ouest en est, les villes de Kobé, d'Osaka et de Kyoto forment l'agglomération urbaine d'Osaka.

La grande région qui a Osaka pour centre s'appelle le Kansaï.

Autrefois, on appellait le Kansaï « Kamigata ». Cela veut dire « vers le haut », car Kyoto fut longtemps la capitale de l'empire.

Les habitants d'Osaka

La population d'Osaka est de 2 millions 750 mille habitants.

La population d'Osaka est de 2 millions 750 mille habitants, mais la région, Kobé et Kyoto comprises, compte environ 19 millions d'habitants.

Le dialecte utilisé par les habitants d'Osaka s'appelle le « Osaka-ben ».

Les habitants d'Osaka utilisent un dialecte nommé « Osaka-ben ».

Les habitants d'Osaka sont plus attachés à leur identité locale que les tokyoïtes.

Les habitants d'Osaka sont très fiers de leur sens de l'humour, et il existe une tradition du divertissement et de l'humour typique de la ville.

L'histoire d'Osaka

Osaka est devenue la ville la plus importante du Japon lorsque, après cent ans de guerre civile, Toyotomi Hidéyoshi unifia le Japon, et construisit son palais dans la ville.

Toyotomi Hidéyoshi, qui unifia le Japon après cent ans de guerre civile et construisit le château d'Osaka, est un héros très populaire pour les habitants d'Osaka.

Le Château d'Osaka originel a brûlé en 1615, lorsque Tokugawa Iéyasu a éliminé Toyotomi Hidéyori.

Tokugawa Iéyasu instaura en 1603 le shogunat à Edo, et douze ans plus tard, élimina Toyotomi Hidéyori et son Château d'Osaka.

□江戸時代、大阪は西日本の商業、文化の中心として栄えました。

□江戸時代、文楽が大阪で始まりました。

大阪らしさ

□大阪は商人魂で有名です。大阪の商人を「大阪商人」と呼びます。

□阪神タイガースは大阪地区をベースにする人気のプロ野球チームで、東京をベースにする読売ジャイアンツとはライバル同士です。

□大阪駅のある梅田は、大阪のビジネスの中心です。

□難波は大阪の商業の中心で、梅田の南側に位置しています。

□大阪・京都で発展した歌舞伎は、上方歌舞伎と呼ばれます。

大阪駅前

Pendant l'époque d'Edo, Osaka a prospéré en tant que centre économique et culturel de l'ouest japonais.

Le « Bunraku (théâtre de marionettes japonais) » est né à Osaka pendant l'époque d'Edo.

Les particularités d'Osaka

Osaka est célèbre pour son esprit marchand. On appelle les marchands d'Osaka « Osaka-shônin ».

Les Hanshin Tigers sont une équipe de base-ball professionnelle basée dans la région d'Osaka, et sont les rivaux des Yomiuri Giants, basés à Tokyo.

Le quartier de Umeda, où se trouve la gare d'Osaka, est le centre économique d'Osaka.

Namba est le quartier commercial d'Osaka, et se trouve au sud d'Umeda.

Le kabuki qui s'est dévelopé à Osaka et à Kyoto est appelé « Kamigata-kabuki ».

北海道

北海道は日本列島の最北端の島です。面積が広く、農業や畜産業が盛んです。冬は質のいい雪が降り、スキーリゾートには多くの海外からの観光客が集まっています。

北海道の概要

□ 北海道は日本の行政区の一つです。

□ 北海道は日本の4つの主な島のうちの一つです。

□ 北海道は日本の4つの主な島のうちの一つで、本州のすぐ北に位置しています。

□ 北海道は日本で最も北にある島です。

□ 北海道は最も北にある島で、冬の寒さはとても厳しいです。

□ 北海道は日本で2番目に大きい島で、オーストリアと同じぐらいの大きさです。

□ 北海道は、アイルランド島と同じぐらいの大きさで、520万ほどの人が住んでいます。

□ 北海道は日本で2番目に大きい島で、人口はたった520万人です。

□ 北海道の冬はとても寒く、スキーリゾートもたくさんあります。

□ 北海道の北東側の沿岸には大量の流氷が流れ着き、見事です。

□ 北海道は広いので、空いている土地がたくさんあります。

Track 18

札幌の時計台

Aperçu de Hokkaïdô

Hokkaïdô est une des circonscriptions administratives du Japon.

Hokkaïdô est une des quatre îles principales du Japon.

Hokkaïdô est une des quatre îles principales du Japon, et elle se trouve au nord de Honshû.

Hokkaïdô est l'île la plus au nord du Japon.

Hokkaïdô est l'île la plus au nord, et les hivers y sont très froids.

Hokkaïdô est la deuxième plus grande île du Japon, et est à peu près grande comme l'Autriche.

Hokkaïdô est grande comme l'Irlande, et compte environ 5 200 000 habitants.

Hokkaïdô est la deuxième plus grande île du Japon, et sa population est seulement de 5 millions 200 mille habitants.

Les hivers de Hokkaïdô sont très froids, et on y trouve de nombreuses stations de ski.

De nombreux glaces flottantes aboutissent sur la côte nord-ouest de Hokkaïdô, et offre un spectacle saisissant.

Comme Hokkaïdô est très grand, il y a beaucoup d'espace inoccupé.

□ 北海道は、日本の他の地域のように混んでいません。実際、空いている土地がたくさんあります。

北海道の交通

□ 東京から北海道へ行くには、青函トンネルを通って津軽海峡を渡る寝台列車がいいです。

□ 新千歳国際空港は、北海道の空の入り口です。

北方領土

□ 千島列島（クリル諸島）は、北東沿岸に位置しています。

□ クリル諸島の4島について、日本とロシア双方が領土だと主張し合っています。

アイヌの人々

□ 北海道にはアイヌという民族が住んでいます。

□ アイヌは日本の少数民族で、かつては日本の北部に広く居住していました。

□ アイヌは北海道の先住民族で、日本の他の地域には見られない独特な文化を持っています。

北海道の歴史

□ 北海道の大部分は19世紀に拓かれました。

□ 北海道への定住が始まったのは19世紀頃で、日本の他の地域と比べると大変遅いです。

□ 19世紀の北海道は開拓地でした。そのため、歴史的背景や雰囲気が他の日本の地域とはまったく違います。

十勝平野の雄大な風景

Hokkaïdô n'est pas encombrée comme les autres régions du Japon. En réalité, on y trouve de nombreux espaces inoccupés.

Les transports à Hokkaïdô

Pour se rendre à Hokkaïdô depuis Tokyo, il est conseillé d'utiliser les trains-couchette qui traversent le détroit de Tsugaru en passant par le tunnel de Seikan.

L'aéroport international de Shin-Chitosé est le portail aérien de Hokkaïdô.

Les territoires du nord

L'archipel de Chishima (les îles Kouriles) se trouve au large de la côte nord-est (de Hokkaïdô).

Le Japon et la Russie se contestent la souveraineté sur quatre îles de l'archipel des Kouriles.

Les Aïnous

Le peuple Aïnou vit à Hokkaïdô.

Les Aïnous sont une minorité japonaise, et sont des autochtones qui habitaient autrefois toute la partie nord du Japon.

Les Aïnous sont les autochtones de Hokkaïdô, et possèdent une culture unique, très différente de celle des autres régions du Japon.

L'histoire de Hokkaïdô

La plus grande partie de Hokkaïdô a été aménagée au 19ème siècle.

La sédentarisation sur Hokkaïdô a commencé au 19ème siècle, beaucoup plus tardivement que dans le reste du Japon.

Hokkaïdô a été aménagée au 19ème siècle. Par conséquent, l'ambiance historique et l'atmosphère qui s'en dégagent sont très différentes du reste du Japon.

札幌・函館

□ 札幌は北海道の道庁所在地です。

□ 札幌は北海道の道庁所在地であり、商業の中心です。

□ 札幌では2月初旬に雪祭りが行われ、野外にディスプレイされた雪の像などを楽しめます。

□ 函館は昔からの港町で、北海道の海からの玄関口となっています。

□ 函館は日本で最初に開かれた貿易港の一つで、西洋文化を取り入れた異国情緒あふれる街並みが現在も見られます。

札幌雪祭り

Sapporo – Hakodaté

Sapporo est la capitale administrative de Hokkaïdô.

Sapporo est la capitale administrative et le centre des affaires de Hokkaïdô.

Début février, la fête de la neige a lieu à Sapporo. On peut alors admirer des statues de neige exposées à l'extérieur.

Hakodaté est une ancienne ville portuaire de Hokkaïdô. C'est le portail maritime de l'île.

Hakodaté est un des premiers ports ouverts aux pays étrangers. On peut voir même de nos jours les quartiers sous influence de la culture occidentale de l'époque.

函館五稜郭

東北地方

東北地方は別称として、「奥羽地方」「みちのく」と呼ばれることもあります。農業が盛んで、米や酒の産地も多く、海産物などの新鮮な味も楽しめます。青森は本州の最北端に位置しています。

東北地方の概要

□ 東北地方とは、本州の東北地域のことです。

□ 東北は本州東北部のことで、北海道とは津軽海峡で隔てられています。

□ 東北には6つの県があります。

□ 青森は本州の最北端に位置しています。

□ 秋田と山形は、日本海に面しています。

□ 岩手、宮城、そして福島は太平洋に面しています。

東北の交通

□ 東北と北海道は、青函トンネルで結ばれています。

□ 東北と北海道をつなぐのは、津軽海峡の下を通る青函トンネルです。

□ 現在、新幹線が東京と東北地方の各県庁所在地を結んでいます。

□ 東北は景色を楽しみながら列車の旅をするにはもってこいです。

□ 東北は山、湖、そして複雑に海岸線が入り組んでいることで知られる三陸海岸などが有名です。

Track 19

Aperçu de la région du Tôhoku

La région de Tôhoku désigne le nord-est de l'île de Honshû.

Le Tôhoku est la partie nord-est de Honshû, et est séparé de Hokkaïdô par le Détroit de Tsugaru.

Le Tôhoku est composé de six préfectures.

Aomori se trouve à l'extrémité nord de Honshû.

Akita et Yamagata font face à la Mer du Japon.

Iwaté, Miyagi et Fukushima font face à l'Océan Pacifique.

Les transports dans le Tôhoku

Le Tôhoku et Hokkaïdô sont reliés par le tunnel de Seikan.

Le tunnel de Seikan passe sous le Détroit de Tsugaru pour relier le Tôhoku et Hokkaïdô.

Aujourd'hui, le Shinkansen relie Tokyo à toutes les capitales préfectorales du Tôhoku.

Par ses paysages variés, Tôhoku est idéal pour apprécier un voyage en train.

Le Tôhoku est célèbre pour ses montagnes, ses lacs, et ses côtes, comme celle de Sanriku.

東北らしさ

□ 東北の人は、東北弁という方言を使います。

□ 東北弁は、東北の人たちが使っている独特な方言のことです。

□ 東北は夏祭りでよく知られています。

□ 仙台は七夕祭りで有名です。七夕祭りは星座の伝説に基づいています。

□ 青森県のねぶた祭りは、豪華な装飾が施された山車がよく知られています。

□ 夏に秋田県で行われる竿燈（かんとう）祭りでは、長い竹竿にたくさんの提灯を吊り下げた大きな飾りを持って人々が練り歩きます。

□ 東北は民芸品で有名です。

□ 東北のこけしは、昔からの木製の人形で、主に山形で作られています。

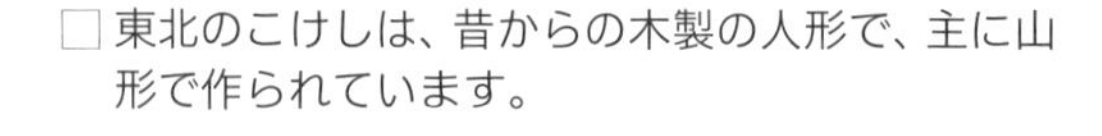

毎年8月の初旬に行われる竿灯祭り

□ 座敷童は、子どもの幽霊のことです。座敷童は古い家々を害から守ると東北では言われています。

□ なまはげは、秋田地方の来訪神のことです。大晦日になまはげは家々を訪れ、親の言うことを聞くようにと子どもたちを怖がらせます。

青森県

□ 東北の最北の県は青森です。

□ 津軽は青森県の西部のことで、リンゴで有名です。

□ 十和田湖は青森県にあり、湖周辺は美しい山々、川の流れ、温泉などがあります。

岩木山と、その手前に見えるりんご畑

Les particularités du Tôhoku

Les habitants du Tôhoku parlent un dialecte appelé « Tôhoku-ben ».

Le « Tôhoku-ben » est le dialecte original utilisé par les habitants du Tôhoku.

Le Tôhoku est célèbre pour ses fêtes en été.

La fête de Tanabata à Sendaï est très célèbre. La fête de Tanabata a pour origine une légende liée aux constellations.

Les fêtes de Nébuta, dans la préfecture d'Aomori, sont connues pour leurs chars richement décorés.

Pendant la fête de Kantô, dans la préfecture d'Akita, des gens défilent en portant des perches couvertes de lanternes.

Le Tôhoku est célèbre pour son artisanat traditionnel.

Les « Kokeshi » du Tôhoku sont des poupées de bois traditionnelles, et sont principalement produites dans la préfecture de Yamagata.

Les « Zashikiwarashi » sont des fantômes d'enfants. On dit dans le Tôhoku qu'ils protègent les vieilles demeures des catastrophes.

Les « Namahage » sont des divinités de la région d'Akita. Ils se rendent dans les maisons au réveillon du nouvel an pour effrayer les enfants qui n'écoutent pas leurs parents.

La préfecture d'Aomori

La préfecture la plus au nord du Tôhoku est Aomori.

La région de Tsugaru dans la partie ouest d'Aomori est célèbre pour ses pommes.

Le lac de Towada se trouve dans la préfecture d'Aomori. Tout autour, on trouve de magnifiques montagnes, des cours d'eau, et des sources chaudes.

秋田県

□ 秋田県は、東北の北西にあり、冬季の豪雪で知られています。

□ 田沢湖は秋田県の行楽地です。

□ 秋田県に行ったら、角館を訪ねてください。封建時代からの武家屋敷がよく保存されています。

岩手県

□ 盛岡は岩手県の県庁所在地で、かつては南部氏の所領でした。城跡は今でも街の中心に残っています。

□ 岩手県の太平洋側は三陸といい、風光明媚なリアス式海岸でよく知られています。

□ 遠野は岩手県にある村ですが、民間伝承で有名な町です。

□ 平泉は歴史のある町で、12世紀に権勢を振るった藤原氏の本拠地だったところです。

□ 岩手県の太平洋岸は、東日本大震災の津波で壊滅的な被害を受けました。

宮城県

□ 宮城県には仙台市があります。仙台は東北地方の中心です。

□ 仙台市は東北地方の中心で、この地域では最大の都市です。

□ 仙台市は、封建時代に最も勢力のあった家の一つ、伊達家の城下町です。

La préfecture d'Akita

La préfecture d'Akita est au nord-ouest du Tôhoku, et est célèbre pour ses fortes chutes de neige en hiver.

Le lac de Tazawa est un site propice aux excursions de la préfecture d'Akita.

Si vous vous rendez dans la préfecture d'Akita, n'oubliez pas de visiter Kaku-no-daté. Des demeures de samouraïs de l'époque féodale y sont conservées.

La préfecture d'Iwaté

Morioka est la capitale administrative de la préfecture d'Iwaté, et était autrefois le territoire du clan Nambu. Aujourd'hui encore, on peut voir les restes de leur château au centre de la ville.

On appelle « Sanriku » la côte Pacifique de la préfecture d'Iwaté, connue pour ses magnifiques rias.

Tôno est un village de la préfecture d'Iwaté, célèbre pour son folklore.

Hiraïzumi est une ville historique. C'était la base du clan Fujiwara, qui a fait trembler le pouvoir au 12ème siècle.

岩手山を眺める

La côte Pacifique de la préfecture d'Iwaté a subi des dégâts terribles suite au Tsunami déclenché lors du grand séisme de l'est du Japon.

La préfecture de Miyagi

La ville de Sendaï se trouve dans la préfecture de Miyagi. C'est le centre de la région du Tôhoku.

La ville de Sendaï est le centre de la région du Tôhoku, et en est la plus grande agglomération.

La ville de Sendaï entourait le château d'un des plus puissants clans de l'époque féodale : le clan Daté.

白石川に映る宮城の象徴、蔵王山と桜

□ 仙台の青葉城は、封建時代に最も勢力の大きかった家の一つ、伊達家の居城でした。

□ 松島は宮城県の北部にある美しい海辺です。

山形県

□ 山形県は秋田県の南に位置し、日本海に面しています。

□ 蔵王は山形県にある山で、スキーリゾートとして知られています。

□ 出羽三山は山形県にある3つの山で、古代より霊山として知られています。

福島県

□ 福島県は東北南部に位置し、県庁所在地は福島市です。

□ 会津若松はお城で有名です。

□ 西部にある会津地方では、美しい湖や山が楽しめます。

□ 会津地方は、1868年に徳川幕府の終焉の際、激しい戦いが行われた場所です。

□ 福島県は、東日本大震災の津波で起きた福島第一原子力発電所のメルトダウンで、今でも苦しんでいます。

滝桜と呼ばれる福島三春町の桜

Le château d'Aoba dans la ville de Sendaï était la propriété du clan Daté, un des clans les plus puissants de l'époque féodale.

À Matsushima, qui se trouve au nord de la préfecture de Miyagi, on peut admirer un magnifique paysage côtier.

La préfecture de Yamagata

La préfecture de Yamagata est au sud de la préfecture d'Akita, et fait face à la mer du Japon.

Zaô est une montagne de Yamagata célèbre pour ses stations de ski.

Les trois montagnes Déwa-sanzan dans la préfecture de Yamagata sont depuis longtemps des lieux de culte.

月山の山頂には月山神社が見える

La préfecture de Fukushima

La préfecture de Fukushima est au sud du Tôhoku, et sa capitale est la ville de Fukushima.

La ville d'Aïzu-Wakamatsu est célèbre pour son château.

Dans la région d'Aïzu, la partie ouest, on peut voir de splendides lacs et montagnes.

La région d'Aïzu a été le théâtre de combats terribles en 1868, à l'occasion de la chute du shogunat des Tokugawa.

Même à l'heure actuelle, la préfecture de Fukushima souffre terriblement de la fusion du cœur des réacteurs de la centrale nucléaire Fukushima-daïichi, suite au Tsunami déclenché par le grand séisme de l'est du Japon.

関東地方

関東には、日本の総人口の３分の１が集中しており、首都東京は日本の政治、経済、文化の中心です。東京では、2021年に２回目の夏のオリンピックが開催されました。

関東地方の概要

□ 関東は本州の東部中央に位置し、日本の中心です。

□ 関東地方に、東京があります。

□ 関東地方は東京都のほかに6県があります。

□ 横浜は東京の南に位置し、首都圏への海の玄関口となっています。

□ 横浜は東京の南に位置する大都市で、江戸時代終わりごろには外国人の居住区でした。

□ 横浜には日本最大の中華街があります。

□ 関東北部の群馬県と栃木県の山沿いは、趣のある温泉街がたくさんあります。

□ 関東の南部から中部にかけて、関東平野が広がっています。

□ 関東北部から西部にかけては、山や温泉で有名です。

□ 伊豆諸島は、太平洋側にある伊豆半島から南に連なっています。

□ 千葉県の成田空港は東京の中心部から列車で1時間ほどのところにあります。

Track 20

Aperçu de la région du Kantô

La région du Kantô se trouve au cœur de la partie est de Honshû, et forme le centre du Japon.

Tokyo se trouve dans la région du Kantô.

Outre la préfecture de Tokyo, six autres préfectures constituent la région du Kantô.

Yokohama se trouve au sud de Tokyo. C'est la porte maritime de l'agglomération de la capitale.

Yokohama est une très grande ville située au sud de Tokyo. C'était le lieu de villégiature des étrangers à la fin de la période d'Edo.

On trouve à Yokohama le plus grand quartier chinois du Japon.

Au nord du Kantô, on trouve de nombreuses sources thermales pleines de charme le long des montagnes des préfectures de Gunma et Tochigi.

La plaine du Kantô s'étend depuis le sud de la région jusqu'à son centre.

Le nord et l'ouest du Kantô sont réputés pour leur montagnes et leurs sources thermales.

L'archipel d'Izu s'étend dans le Pacifique, au sud de la péninsule du même nom.

L'aéroport de Narita, dans la préfecture de Chiba, est à une heure en train du centre de Tokyo.

□東京の近くには2つの国際空港があります。一つが成田空港で、もう一つが東京の中心からすぐの海沿いにある羽田空港です。

□羽田空港は、日本で最も面積の大きい国内線・国際線の空港です。

□成田で時間があれば、ぜひ成田市の新勝寺を訪ねてみてください。

成田空港にも近い、成田山新勝寺

東京近郊の観光

□東京周辺には、日光国立公園など、魅力的なところがたくさんあります。

□東京からたった2時間ほどのところにある日光は、日光東照宮という豪華な装飾の施された神社があり、人気があります。

□日光東照宮は、徳川家康が死んだ翌年の1617年に建立されました。

□東京にほど近い鎌倉は、1192年から1333年までの間、将軍が住んでいたところです。

□鎌倉にはたくさんの古寺や神社があり、訪ねてみるのもいいものです。

□1192年から1333年の間、将軍がいた鎌倉には古寺や神社がたくさんあり、興味深い場所です。

東京

□東京は東京都と呼ばれる特別行政区で、23区だけでなく、奥多摩など西部の山あいの地域も含まれています。

□太平洋に浮かぶ伊豆と小笠原諸島は、東京都に属し、都内から1000kmにわたって点在しています。

お台場側からのレインボーブリッジ風景

Il y a deux aéroports internationaux dans les environs de Tokyo. Narita est l'un d'entre eux ; l'autre est l'aéroport de Hanéda, qui se trouve au bord de la mer près du centre de Tokyo.

L'aéroport de Hanéda est le portail aérien pour vols intérieurs et internationaux. C'est le plus grand aéroport du Japon en superficie.

Si vous avez du temps à Narita, vous devriez visiter le temple de Shinshô-ji, dans la ville du même nom.

Le tourisme dans la périphérie de Tokyo

Il y a de nombreux sites magnifiques dans les environs de Tokyo, comme le parc national de Nikkô.

À Nikkô, qui se trouve à deux heures à peine en train de Tokyo, on trouve le célèbre sanctuaire Tôshô-gû, très richement décoré.

Le sanctuaire Tôshô-gû de Nikkô a été construit en 1617, un an après la mort de Tokugawa Iéyasu.

Plus proche de Tokyo, la ville de Kamakura accueillit le gouvernement des shoguns entre 1192 et 1333.

Il y a de nombreux sanctuaires et temples anciens à Kamakura. C'est une visite à ne pas manquer.

Kamakura, où résidèrent les shoguns entre 1192 et 1333 est un site très intéressant, avec de nombreux temples et sanctuaires anciens.

Tokyo

Outre les 23 arrondissements, le district spécial de Tokyo, appelé Tokyo-to, inclut aussi à l'ouest la région montagneuse de Okutama.

Les archipels de Izu et Ogasawara, dans le Pacifique, sont rattachés à Tokyo-to, bien que situés à 1 000 km de la ville.

群馬県

□ 群馬県は関東の北西に位置し、前橋市が県庁所在地です。

□ 群馬には、草津、伊香保、水上など多くの有名な温泉があります。

□ 草津や伊香保には、こじんまりした旅館が多く、日本らしい宿屋などが並ぶ温泉リゾート地です。

□ 群馬は昔、上州と呼ばれ、この地方の特長として乾燥した冬の風と、女性が活発でよく働くことで知られています。

栃木県

□ 栃木県は関東の中北部に位置し、県庁所在地は宇都宮市です。

□ 栃木県の山沿い地方に日光・那須など、日本でも最も人気のある観光地があります。

□ 面白いことに、栃木では餃子がよく食べられています。

徳川家康を祀る日光東照宮

茨城県

□ 茨城県は太平洋に面しており、県庁所在地の水戸には、偕楽園という伝統的な公園があります。

□ 筑波研究学園都市には数多くの研究施設が集まっています。

□ 茨城県の霞ヶ浦地方には多くの湖があります。

La préfecture de Gunma

La préfecture de Gunma se trouve au nord-ouest du Kantô, et sa capitale administrative est Maebashi.

草津の湯もみは観光客にも人気

On trouve beaucoup de sources thermales célèbre à Gunma, comme Kusatsu, Ikaho ou Minakami.

Kusatsu et Ikaho sont des stations thermales où on trouve de nombreuses auberges cossues et chambres d'hôtes à l'architecture japonaise traditionnelle.

Autrefois, Gunma était appelé Jôshû. La région était connue pour son vent d'hiver sec, et ses femmes actives et travailleuses.

La préfecture de Tochigi

La préfecture de Tochigi est au plein nord de la région du Kantô, et sa capitale administrative est Utsunomiya.

Le long des montagnes de la préfecture de Tochigi, on trouve beaucoup de sites touristiques parmi les plus célèbres du Japon, comme Nikkô ou Nasu.

Anecdote amusante : on mange beaucoup de « Gyôza » à Tochigi.

La préfecture d'Ibaraki

偕楽園にある好文亭

La préfecture d'Ibaraki fait face à l'Océan Pacifique, et on trouve à Mito, sa capitale administrative, un parc traditionnel appelé Kaïraku-en.

De nombreux laboratoires de recherches se trouvent dans la cité scientifique de Tsukuba.

La région de Kasumigaura, dans la préfecture d'Ibaraki, comporte de nombreux lacs.

埼玉県

□ 埼玉県は東京の北に位置し、首都圏に属しています。

□ 秩父と長瀞は、東京に住む人々にとってちょうどいい山あいのハイキングコースです。

□ 埼玉の県庁所在地はさいたま市です。

千葉県

□ 千葉県は東京の東に位置し、東京のベッドタウンになっています。

□ 千葉県の房総半島には、東京から多くの人がマリンスポーツを楽しみにやってきます。

□ 成田国際空港は千葉県にあり、東京から電車で約1時間ほどです。

神奈川県

□ 神奈川県は東京に隣接し、東京湾に面しています。

□ 横浜市は神奈川県の県庁所在地で、東京から電車で30分ほどです。

□ 神奈川県の横浜、鎌倉は、史跡なども多いところです。

□ 神奈川県は都内の人がマリンスポーツを楽しむ場所として人気です。

□ 箱根は、東京の近くにあって自然を満喫できる山間のリゾートです。

相模湾に面する湘南海岸

La préfecture de Saïtama

国指定の名勝、長瀞渓谷

La préfecture de Saïtama est au nord de Tokyo, et fait partie de l'agglomération de la capitale.

Chichibu et Nagatoro sont des régions montagneuses idéales pour les randonnées des Tokyoïtes.

La ville de Saïtama est la capitale administrative de la préfecture éponyme.

La préfecture de Chiba

La préfecture de Chiba est à l'est de Tokyo, et est devenue une banlieue dortoir pour la capitale.

De nombreux Tokyoïtes se rendent dans la péninsule de Bôsô, dans la préfecture de Chiba, pour pratiquer les sports nautiques.

L'aéroport international de Narita, dans la préfecture de Chiba, est à environ une heure en train de Tokyo.

La préfecture de Kanagawa

La préfecture de Kanagawa est voisine de Tokyo, et borde la baie de Tokyo.

Yokohama, capitale administrative de la préfecture de Kanagawa, est à environ trente minutes en train de Tokyo.

Les sites historiques comme Yokohama, Kamakura, sont nombreux dans la préfecture de Kanagawa.

La préfecture de Kanagawa est également appréciée des Tokyoïtes pour pratiquer les sports nautiques.

Hakoné est une station touristique de montagne proche de Tokyo, où on peut jouir pleinement de la nature.

中部地方

中部地方は広い地域を指すため、太平洋側の県と日本海側の県、または内陸に位置する県で、気候、方言、食事、習慣など地域による違いが大きいです。

中部地方の概要

□ 中部地方は本州中部の広い地域のことです。

□ 中部地方は日本海にも太平洋にも面しています。

□ 中部地方には9つの県があります。

□ 中部地方には9つの県があり、最大の都市は名古屋です。

□ 名古屋およびその周辺は、日本で3番目に大きな経済産業圏です。

□ 中部国際空港は、海外から名古屋への空の玄関口です。

□ 北陸地方の中心は金沢です。

富士山

□ 富士山は静岡県と山梨県の境にあり、その美しい姿で知られています。

□ 富士山は美しく雄大な火山として日本の象徴になっています。

□ 富士山は活火山で、標高3776mと日本一の高さです。

□ 空気が澄んでいるときは、東京からも富士山が見えます。

Track 21

Aperçu de la région de Chûbu

La région de Chûbu est une région étendue de l'île de Honshû.

La région de Chûbu donne à la fois sur la Mer du Japon et sur l'Océan Pacifique.

Il y a neuf préfectures dans la région de Chûbu.

Il y a neuf préfectures dans la région de Chûbu, Nagoya est la ville la plus importante.

Nagoya et ses environs représentent le troisième centre industriel et économique du Japon.

L'aéroport de Chûbu est la porte d'entrée du ciel, de l'étranger vers Nagoya.

Kanazawa est le cœur de la région de Hokuriku.

Le mont Fuji

Le mont Fuji situé entre les préfectures de Shizuoka et Yamanashi est connu pour sa forme splendide.

En tant que volcan beau et majestueux, le mont Fuji est devenu un symbole du Japon.

Le mont Fuji est un volcan actif. Avec ses 3 776 mètres d'altitude, c'est la plus haute montagne du Japon.

Quand l'air est pur, on peut apercevoir le mont Fuji depuis Tokyo.

日本アルプス

□ 中部地方には、日本アルプスという高い山脈がそびえています。

□ 日本アルプスでは、山でのさまざまなレジャーを楽しめます。

□ 日本アルプス方面に行くには、山沿いを通り東京と名古屋を結ぶ中央線を使うのが便利です。

北陸

□ 北陸地方には北陸本線という列車が通っています。

□ 小松空港は、福井県と石川県の2県で使用されています。

□ 中部地方のうち北部を北陸地方といいます。

□ 中部地方の北部に位置し、日本海に面した北陸地方は、豪雪地帯として知られています。

□ 北陸地方は積雪の多さで知られていましたが、最近は温暖化の影響でそうでもありません。

静岡県

□ 静岡県は太平洋に面して広がっています。

□ 伊豆半島は富士山に近く、国立公園の一部でもあります。

□ 伊豆半島は比較的東京にも近く、温泉リゾートも数多くあります。

□ 伊豆半島の入口に熱海があり、温泉リゾートとしてとても有名です。

Les Alpes japonaises

Dans la région de Chûbu, se dresse une chaîne de montagnes appelées « les Alpes japonaises ».

Dans les Alpes japonaises, on peut pratiquer une multitude d'activités de montagne.

Pour aller vers les Alpes japonaises, il est pratique de prendre la ligne Chûo qui relie Tokyo et Nagoya en longeant les montagnes.

Hokuriku

Dans la région de Hokuriku, le train « Hokuriku-Honsen » circule.

L'aéroport de Komatsu peut s'utiliser depuis deux préfectures : Fukui et Ishikawa.

La partie Nord de la région de Chûbu s'appelle la région de Hokuriku.

Située dans la partie Nord de la région de Chûbu, la région de Hokuriku au bord de la Mer du Japon est connue pour ses forts enneigements.

La région de Hokuriku est connue pour ses fortes chûtes de neige, mais récemment, avec le réchauffement climatique, c'est de moins en moins observable.

La préfecture de Shizuoka

La préfecture de Shizuoka longe l'Océan Pacifique.

La péninsule d'Izu, proche du mont Fuji, comprend une partie du Parc National.

Comparé à Tokyo, la péninsule d'Izu compte plus de complexes de thermalismes.

À l'entrée de la péninsule d'Izu, il y a Atami. Les complexes de thermalismes y sont très célèbres.

山梨県

□山梨県は静岡県の北に位置しています。

□甲府盆地は、高い山に囲まれ、山梨県の真ん中に位置しています。

□甲府市は山梨県の県庁所在地で、その周辺はブドウ畑があることで知られています。

信玄公ゆかりの武田神社

□富士五湖は、富士山の麓にある山と湖の観光地です。

長野県

□長野県は、日本アルプスの最高峰の山々が位置するところです。

□長野はウィンタースポーツを楽しむのに最適で、1998年には冬季オリンピックも開催されました。

□長野は昔は信濃と呼ばれ、今でもこの呼び方が使われることがよくあります。

□長野県の県庁所在地は長野市で、642年に善光寺が建てられたことから発展しました。

□松本市は城下町で、長野の主要都市のうちの一つです。

□木曽は長野の山間の谷に位置し、封建時代からの古い宿場町が点在しています。

□木曽は木曽杉と呼ばれる日本産の杉で有名です。

La préfecture de Yamanashi

La préfecture de Yamanashi se situe au nord de la préfecture de Shizuoka.

Le bassin de Kôfu, entouré de hautes montagnes, se situe au cœur de Yamanashi.

La ville de Kôfu, capitale administrative de Yamanashi, est connue pour les vignes qui l'entourent.

La région des Cinq Lacs est un secteur touristique de lacs et montagnes au pied du mont Fuji.

La préfecture de Nagano

La préfecture de Nagano est l'endroit où se situe les sommets des plus hautes montagnes des Alpes japonaises.

Nagano, où on peut profiter des sports d'hiver, a accueilli les Jeux Olympiques d'hiver de 1998.

Autrefois, Nagano était appelé « Shinano », et aujourd'hui encore, cette appellation est souvent employée.

Dans la ville de Nagano, capitale administrative de la préfecture de Nagano, a été bâti le temple Zenkôji en 642.

Matsumoto, ville fondée autour d'un château féodal, est une des villes principales de Nagano.

À Kiso, située dans la vallée montagneuse de Nagano, se dispersent d'anciennes villes d'étape depuis l'époque féodale.

À Kiso, les objets de fabrication japonaise en cyprès appelées « cyprès de Kiso » sont célèbres.

新潟県

日本百名山のひとつ、妙高山

□新潟県は、日本海に面し、ロシア東部からの入口になっています。

□新潟市は新潟県の県庁所在地で、東京から上越新幹線を使えば簡単に行けます。

□長岡と新潟県の山沿いで、世界最深積雪を記録しました。

□新潟は封建時代には越後と呼ばれていました。

□佐渡は日本海に浮かぶ島で、かつては金山があることで知られていました。

富山県

□富山市は富山県の県庁所在地で、日本海の富山湾に面しています。

□立山連峰は、登山のほかにスキーリゾートとしても知られています。

□富山周辺はイカやカニなどの海産物が豊富です。

市街から立山連峰を眺める

□富山の山間には昔ながらの集落が残っています。五箇山もその一つで、世界遺産に登録されています。

石川県

□金沢は北陸地方にある町で、史跡がたくさんあります。

□金沢は北陸地方にある町で、日本庭園で知られる兼六園や武家屋敷など、史跡がたくさんあります。

□金沢は、江戸時代に権勢を振るった前田家が統治していた歴史的な町です。

La préfecture de Niigata

La préfecture de Niigata côté Mer du Japon est la porte d'entrée de la partie est de la Russie.

La ville de Niigata, capitale administrative de la préfecture de Niigata, est facilement accessible depuis Tokyo par le Shinkansen Jôetsu.

Nagaoka et la préfecture de Niigata qui longent les montagnes battent des records mondiaux d'enneigement.

À l'époque féodale, Niigata était appelé Echigo.

Côté Mer du Japon, flotte l'île de Sado connue autrefois pour ses mines.

La préfecture de Toyama

La ville de Toyama, capitale administrative de la préfecture de Toyama, donne sur la baie de Toyama côté Mer du Japon.

En plus de l'alpinisme, la chaîne de montagnes Tatéyama est connue pour ses stations de ski.

Aux alentours de Toyama, on trouve des fruits de mer tels que la seiche ou le crabe en abondance.

Nichés entre les montagnes de Toyama, il reste des hameaux d'autrefois. Une des montagnes de Gokayama est inscrite au patrimoine mondial.

La préfecture d'Ishikawa

À Kanazawa, une ville de la région de Hokuriku, il y a beaucoup de monuments historiques.

À Kanazawa, une ville de la région de Hokuriku, il y a beaucoup de monuments historiques tels que : le jardin de Kenroku (parmi les plus célèbres des jardins japonais) ou la résidence Buké.

La famille Maeda qui a abandonné son empire à l'époque Edo a régné dans la ville historique de Kanazawa.

□金沢では洗練された見事な工芸品を見ることができます。その一つが日本の焼き物である九谷焼です。

□加賀友禅と呼ばれる染め物は、金沢の工芸品として有名です。

□輪島とその周辺は、ひなびた村々や、民芸品、そして美しい海岸線で知られています。

雪つりがなされた名勝兼六園

福井県

□福井県は京都の北に位置し、県庁所在地の福井市は城下町です。

□福井県の県庁所在地の福井市の近くには、禅宗の一派である曹洞宗の大本山である永平寺があります。

□福井は、東尋坊という岩だらけの細く伸びた海岸で有名です。

岐阜県

□長野と同様に、岐阜県も内陸の山地をまたぐようにして広がっています。

□岐阜県の白川郷は、茅葺きの急勾配の屋根の家があることで知られており、世界遺産にも登録されています。

□飛騨谷は、岐阜県の山間地方で、高山市はこの谷に古くからある町です。

白川郷の合掌造りの集落

À Kanazawa, on peut voir des objets d'aritisanat raffinés. Parmi eux, il y a les « Kutani-yaki », une technique de poterie japonaise.

La teinture qu'on appelle « Kaga-yûzen » est un célèbre artisanat de Kanazawa.

Wajima et ses alentours sont connus pour leurs villages rustiques, leurs objets d'art folkloriques et leur belle côte.

La préfecture de Fukui

La ville de Fukui est une ville féodale et la capitale administrative de la préfecture de Fukui est située au nord de Kyoto.

九頭竜川河口にある景勝地、東尋坊

Près de la ville de Fukui, capitale administrative de la préfecture de Fukui, il y a le temple Eihei, maison-mère de la secte Zen Sôtô.

Fukui est célèbre pour les falaises qui s'étendent le long de ses côtes, appelées « Tôjinbô ».

La préfecture de Gifu

Comme à Nagano, dans la préfecture de Gifu s'étend un arrière-pays montagneux.

Shirakawagô, dans la préfecture de Gifu, est connu pour ses maisons en toit de chaume très raides, inscrites au patrimoine mondial.

Takayama est une vieille ville dans la vallée de Hida entre les montagnes de la préfecture de Gifu.

愛知県

- □ 中部地方の中心は名古屋です。名古屋とその周辺で、日本第3の経済圏を形成しています。
- □ 名古屋とその周辺地域は、東京、大阪に次ぐ、日本で3番目の商業地区です。
- □ 名古屋は愛知県にあり、かつて尾張と呼ばれていました。
- □ 江戸時代の尾張は、将軍に最も近い親戚によって治められていました。
- □ 名古屋までは、東京から新幹線で1時間半で行けます。

La préfecture d'Aïchi

Nagoya est au cœur de la région de Chûbu. Nagoya et ses alentours forment la troisième région économique du Japon.

Nagoya et sa périphérie sont la troisième zone d'affaires du Japon après Tokyo et Osaka.

Autrefois, Nagoya dans la préfecture d'Aïchi était appelé : « Owari ».

À l'époque d'Edo, Owari était dirigé par le parent le plus proche du Shogun.

Depuis Tokyo, on peut aller à Nagoya en une heure et demie en Shinkansen.

金の鯱鉾から、金城とも称される名古屋城

近畿地方

関西地方ともいいます。長い間、日本の首都（都）がおかれていたこともあり、日本の伝統的な歴史や文化の中心地でもあります。日本の世界文化遺産の半分近くが、近畿地方にあるといわれるほどです。

近畿地方の概要

□ 近畿地方は、かつては日本の政治的、文化的中心でした。

□ 京都が位置しているのが近畿地方です。

□ 近畿地方最大の都市は大阪です。

□ 大阪とその周辺地域は、東京に次いで、日本で2番目に大きい商業地区です。

□ 京都は大阪の東に位置しており、電車で簡単に行くことができます。

□ 近畿地方とは、名古屋の西、岡山県の東になります。

□ 近畿地方には5つの県と、2つの特別区があります。

□ 大阪、京都、神戸が近畿地方で最も大きな都市で、大阪経済圏を成しています。

□ 紀伊半島という大きな半島には、深い山や谷があり、その美しい海岸線を電車でも楽しむことができます。

□ 名古屋の西から、南方向へ伸びる紀伊半島から、日本の多くの古代史が始まりました。

□ 紀伊半島にはいくつかとても重要な神社や寺があります。こうした場所を結ぶ巡礼の道を熊野古道といいます。

□ 紀伊半島の東側には伊勢神宮という神社があります。

Track 22

Aperçu de la région de Kinki

Autrefois, la région de Kinki était le cœur politique et culturel du Japon.

Kyoto se situe dans la région de Kinki.

Osaka est la plus grande ville de la région de Kinki.

Osaka et sa périphérie sont, après Tokyo, la deuxième plus grosse zone commerciale du Japon.

Kyoto se situe à l'est d'Osaka, on peut y aller facilement en train.

La région de Kinki s'étend de l'ouest de Nagoya à l'est de la préfecture d'Okayama.

La préfecture de Kinki se divisent en sept départements, dont deux spécifiaux.

Les plus grosses villes de la région de Kinki sont Osaka, Kyoto et Kobe ; Osaka forme la zone économique.

Dans la grande péninsule de Kii, on peut profiter des hautes montagnes, des vallées et le beau littoral.

La majorité de l'Histoire ancienne japonaise a commencé entre Nagoya et l'ouest de sa région, ou bien sur la péninsule de Kii qui se prolonge vers le sud.

Sur la péninsule de Kii, il y a de nombreux temples et sanctuaires importants. On appelle « Kumano-kodô » les sentiers de pèlerinage qui relient ces endroits.

Dans la partie est de la péninsule de Kii se trouve le sanctuaire qui s'appelle « Ise-jingû ».

□ 伊勢神宮は皇室にとっての氏神で、日本でも最も崇拝されるところの一つです。

□ 伊勢神宮は約2000年前に建てられました。

□ 紀伊半島の中央部を大和と呼び、そこに古代の朝廷がありました。

□ 大和地方は日本の国が誕生したところとされています。

□ 大和地方には、1500年以上前の古墳、寺、神社などが多く残っています。

近畿地方の交通

□ 近畿地方を訪れるには、新幹線が便利です。

□ 直接近畿地方に入りたい人には、関西国際空港が玄関口です。

□ 近鉄（電車）は奈良、大和、伊勢間を効率よく結んでいます。

□ 近鉄（電車）は大阪、奈良、京都、三重、愛知を結ぶ便利な私鉄です。

大阪

□ 大阪は大阪府とよばれる特別区で、日本で2番目に大きい経済の中心地です。

1615年に焼失後、江戸期に再建された大阪城

京都

□ 京都は京都府とよばれる特別区で、京都市が県庁所在地です。

□ 京都府の北端には景観の美しい若狭湾があり、日本海に面しています。

Comme « Ise-jingû » est le sanctuaire tutélaire de la famille impériale, c'est un des endroits du Japon qu'on vénère le plus.

« Ise-jingû » a été construit il y a environ 2 000 ans.

On appelle « Yamato » la partie centrale de la péninsule de Kii, les cours impériales de l'antiquité étaient là-bas.

Le Japon est né de la région du Yamato.

Dans la région du Yamato, il reste beaucoup de temples, sanctuaires ou vestiges vieux de plus de 1 500 ans.

Les moyens de transports dans la région de Kinki

Pour visiter la région de Kinki, le Shinkansen est pratique.

Pour les gens qui veulent entrer directement dans la région de Kinki, l'aéroport internationnal du Kansaï est le meilleur accès.

Les trains de la ligne Kintetsu relient efficacement Nara, Yamato et Ise.

La ligne Kintetsu est une ligne privée très pratique qui relie Osaka, Nara, Kyoto, Mié et Aïchi.

Osaka

À Osaka, ce qu'on appelle « Osaka-fu » est un district spécial qui est le deuxième plus grand cœur économique du Japon.

Kyoto

À Kyoto, ce qu'on appelle « Kyoto-fu » est un district spécial dont Kyoto est la capitale administrative.

À l'extrémité nord de Kyoto-fu s'étend le magnifique paysage des côtes de la baie de Wakasa qui donne sur la Mer du Japon.

日本三景のひとつ、天橋立

□京都府の北には、深い杉の森林が広がっています。

奈良県

□奈良県は紀伊半島の真ん中あたりに位置し、奈良市が県庁所在地です。

□奈良は日本でも指折りの歴史の町で、710年から784年までの間、都が置かれていたところです。

□奈良は京都から簡単に行けます。電車で京都駅から30分ほどです。

□奈良の古の都は、平城京といいます。

□奈良では8世紀に建立された東大寺に行くのがよいでしょう。

□東大寺は、752年に完成した世界最大の銅製の大仏で有名です。

□東大寺のほかにも、奈良にはたくさんの古い寺があります。

□奈良西部には、680年に建立された薬師寺があります。

□薬師寺は美しい三重塔が有名で、これは730年に建てられたものです。

□法隆寺は世界で最も古い木造建築で、607年に完成しました。

□奈良地方にある東大寺、薬師寺、法隆寺など多くの寺には、中国文化の影響が強く見られます。

明日香村の石舞台古墳

Au nord de Kyoto s'étendent de profondes forêts de cyprès.

La préfecture de Nara

La préfecture de Nara se situe au centre de la péninsule de Kii, la capitale administrative est la ville de Nara.

Nara est une des principales villes historiques du Japon ; c'était la capitale de 710 à 784.

De Kyoto, on peut facilement aller à Nara. En train, de la gare de Kyoto, cela prend moins de 30 minutes.

Avant, Nara s'appelait « Heijôkyô ».

À Nara, il est conseillé de visiter le Tôdaï-ji qui a été construit au 8ème siècle.

Le Tôdaï-ji est connu pour abriter le plus grand Bouddha de bronze du monde, achevé en 752.

Mis à part la Tôdaï-ji, à Nara, il y a beaucoup de temples anciens.

Dans la partie sud de Nara, il y a le temple de Yakushi-ji bâti en 680.

Le Yakushi-ji est célèbre pour sa splendide pagode, construite en 730.

Le temple de Hôryû-ji, achevé en 607, est la plus vieille construction en bois du monde.

Au sein de la région de Nara, il y a de nombreux temples, tels que : le Tôdaï-ji, le Yakushi-ji et le Hôryû-ji. On peut observer la forte influence de la culture chinoise.

和歌山県

□ 和歌山県は紀伊半島の西に位置し、和歌山市が県庁所在地です。

□ 和歌山の南部は太平洋に面しており、温暖な気候で知られています。

□ 和歌山は紀州と呼ばれて、かつては将軍の親戚の領地でした。

□ 和歌山県には高野山という山があり、そこは日本の密教である真言宗の総本山です。

高野山には真言宗の総本山、金剛峰寺がある

□ 高野山は、真言宗の総本山がある山の名前で、真言宗は9世紀初頭に有名な弘法大師によって開かれました。

三重県

□ 三重県は奈良県の東に位置し、名古屋にも近いです。県庁所在地は津市です。

□ 三重県の東海岸にある伊勢志摩地方は、神道でも最も神聖な場所として知られています。伊勢神宮もここにあります。

□ 伊勢志摩の海岸に沿って、たくさんの真珠養殖場があります。

兵庫県

□ 兵庫県は大阪の西に位置しています。

□ 神戸は兵庫県の県庁所在地で、日本で最も重要な港の一つです。

□ 神戸は、1995年の阪神淡路大震災で大きな被害を受けました。

La préfecture de Wakayama

La préfecture de Wakayama se situe à l'ouest de la péninsule de Kii, la capitale administrative est la ville de Wakayama.

La partie sud de Wakayama, au bord de l'Océan Pacifique, est connue pour la chaleur de son climat.

À Wakayama, ce qui était jadis le domaine de la famille du Shogun se nomme Kishû.

Dans la préfecture de Wakayama se trouve le mont Kôya, une montagne consacrée au bouddhisme ésotérique de la secte Shingon.

Sur une montagne appelée mont Kôya, la secte Shingon fut fondée au début du 9ème siècle par un moine célèbre, Kôbô-daishi.

La préfecture de Mié

La préfecture de Mié se situe à l'est de la préfecture de Nara, elle est aussi proche de Nagoya. La capitale administrative est la ville de Tsu.

La région de Isé-shima, sur la côté est de la préfecture de Mié, est connue pour abriter de nombreux lieux sacrés, en particulier shintôïstes. On y trouve notamment le sanctuaire d'Ise.

二見町の夫婦岩

Sur la côte d'Isé-shima, il y a beaucoup de lieux de culture de perles.

La préfecture de Hyôgo

La préfecture de Hyôgo se situe à l'ouest d'Osaka.

Kobé, un des plus importants ports du Japon, est la capitale administrative de la préfecture de Hyôgo.

Kobé fut ravagé par le grand tremblement de terre de Hanshin-Awaji de 1995.

□淡路島は瀬戸内海で最大の島で、本州とは明石海峡大橋でつながっています。

□淡路島は大鳴門橋で、四国の徳島ともつながっています。

□明石海峡大橋は、世界最長の吊り橋です。

国の重要文化財にも指定される姫路城（白鷺城）

□姫路は姫路城という美しいお城があることで知られています。

滋賀県

□滋賀県の中央部には、日本最大の湖である琵琶湖があります。

□滋賀県は、文化的にも経済的にも京都や大阪との結びつきが強い地域です。

□彦根城の天守は国宝で、城の周囲は特別史跡に指定されています。

L'île d'Awaji est la plus grande île de la mer intérieure de Séto ; elle est reliée à Honshû par le grand pont de Akashi-Kaikyô.

L'île d'Awaji est reliée à Tokushima, sur l'île de Shikoku, par le pont de Ô-Naruto.

Le grand pont de Akashi-kaikyô est le pont suspendu le plus long du monde.

Himéji est connu pour son magnifique château, le château de Himeji.

La préfecture de Shiga

Au centre de la préfecture de Shiga, il y a le plus grand lac du Japon : le lac Biwa.

La préfecture de Shiga est une région profondément liée à Kyoto et Osaka sur le plan culturel et économique.

Le donjon du château de Hikoné est un Trésor National, et le pourtour du château est un important vestige historique.

琵琶湖の眺め

中国地方

山陰（日本海側）と山陽（瀬戸内海側）では、気候、風習、食なども大きく違います。温暖な山陽と違い、山陰の一部は豪雪地帯でもあります。

中国地方の概要

□中国地方は本州の西の地域です。

□中国地方は近畿地方の西に位置しています。

□中国地方は瀬戸内海という海域に沿って広がっています。

□中国地方は関西と九州の間に位置しています。

□中国地方には5つの県があります。

□中国地方で一番大きいのは広島市です。

山陽・山陰

□中国地方の南、瀬戸内海に面した側を山陽と言います。

□中国地方の島根県と鳥取県は、日本海に面しています。

□山陽の主な都市には、新幹線で行くことができます。

□山陽新幹線は、山陽地方の都市を経由しながら、大阪と九州を結んでいます。

□東京から広島までは、新幹線で4時間半です。

Track 23

Aperçu de la région de Chûgoku

La région de Chûgoku se trouve à l'ouest de Honshû.

La région de Chûgoku se situe à l'ouest de la région de Kinki.

La région de Chûgoku s'étend le long de la zone maritime qu'on appelle « la mer intérieure de Séto ».

La région de Chûgoku se situe entre le Kansaï et Kyûshû.

La région de Chûgoku comporte cinq préfectures.

Dans la région de Chûgoku, la plus grande ville est Hiroshima.

San-yô et San-in

On appelle « San-yô » la partie sud de la région Chûgoku faisant face à la mer intérieure de Séto.

Les préfectures de Shimané et Tottori dans la région de Chûgoku donnent sur la Mer du Japon.

En Shinkansen, on peut aller dans les principales villes de San-yô.

Le Shinkansen de San-yô relie Osaka et Kyûshû en passant par les villes de la région de San-yô.

En Shinkansen, il faut 4h30 pour aller de Tokyo à Hiroshima.

□ 中国地方の北部は日本海に面しており、山陰と呼ばれています。

瀬戸内海

□ 瀬戸内海は本州と四国の間にあります。

□ 瀬戸内海は本州と四国を隔てていますが、橋で行き来できます。

□ 瀬戸内海は重要な海の交通ルートであるだけでなく、小さな島が点在する景観の美しいところです。

□ 瀬戸内海には無数の静かな漁村が点在しています。

広島県

□ 広島県は、山口県と岡山県に挟まれ、県庁所在地は広島市です。

□ 広島県には、世界遺産が2つあります。一つは広島平和記念公園で、もう一つが厳島神社です。

□ 広島市は、1945年に原爆で破壊された街として世界中で知られています。

海上に立つ珍しい神社、厳島神社

□ 1945年8月6日、原爆が広島市上空で爆発し、およそ9万人が即死しました。

□ 20万人以上の人が広島の原爆で亡くなりました。

□ 広島では多くの人が放射能による健康被害に苦しみました。

□ 第二次世界大戦後、広島市は平和都市となりました。

□ 今では広島市は、この地方の商業・産業の中心地で、100万人以上の人が住んでいます。

On appelle « San-in » la partie nord de la région de Chûgoku qui longe la Mer du Japon.

La mer intérieure de Séto

La mer intérieure de Séto se trouve entre Honshû et Shikoku.

La mer intérieure de Séto sépare Honshû et Kyûshû mais on peut faire des allées et venues grâce à un pont.

La mer intérieure de Séto n'est pas seulement une importante route maritime, c'est aussi un paysage magnifique parsemé de petites îles.

Dans la mer intérieure de Séto, il y a de paisibles villages de pêcheurs.

La préfecture de Hiroshima

La préfecture de Hiroshima est entre les préfectures de Yamaguchi et Okayama, la ville de Hiroshima en est la capitale administrative.

Dans la préfecture de Hiroshima, il y a deux patrimoines mondiaux. Il y a d'abord le parc du mémorial de la Paix de Hiroshima, et le sanctuaire de Itsukushima.

La ville de Hiroshima est connue dans le monde entier comme la ville ayant été détruite en 1945 par une bombe atomique.

Le 6 août 1945, une bombe atomique a explosé dans le ciel de Hiroshima, et environ 90 000 personnes sont mortes sur le coup.

Plus de 200 000 personnes sont mortes des suites de la bombe atomique de Hiroshima.

À Hiroshima, de nombreuses personnes ont souffert de problèmes de santé à cause de la radioactivité.

Après la Seconde Guerre Mondiale, Hiroshima est devenu une ville symbole de la paix.

Aujourd'hui, plus de 1 000 000 de personnes habitent à Hiroshima, cœur commercial et industriel de la région.

鳥取県

□ 鳥取県は日本海に面し、県庁所在地は鳥取市です。

□ 鳥取市の海岸には、鳥取砂丘という大きな砂丘があります。

□ 米子近辺は、鳥取県の産業の中心です。

島根県

□ 島根県は日本海に面し、鳥取県の西に位置しています。

□ 松江市は島根県の県庁所在地で、城下町として知られています。

□ 19世紀後半、松江は作家でジャーナリストのラフカディオ・ハーン（小泉八雲）によってアメリカに紹介されました。

□ 出雲には出雲大社という重要な神社があり、ここは日本神話の時代まで遡ることができます。

岡山県

□ 岡山県は広島の東に位置し、県庁所在地は岡山市です。

□ 岡山県の南部は瀬戸内海に面しています。

回遊式庭園で知られる後楽園

La préfecture de Tottori

La préfecture de Tottori donne sur la mer du Japon, la capitale administrative est la ville de Tottori.

Sur la côte de Tottori, il y a une grande dune qu'on appelle « la dune de Tottori ».

Les environs de Yonago sont le cœur industriel de Tottori.

日本海海岸に広がる鳥取砂丘

La préfecture de Shimané

La préfecture de Shimané donne sur la Mer du Japon, elle se situe à l'ouest de Tottori.

La ville de Matsué, capitale administrative de la préfecture de Shimané, est connue pour être une ville féodale.

Dans la deuxième moitié du 19ème siècle, Matsué a été présenté au public américain par Lafcadio Hearn (Koizumi Yakumo), journaliste et romancier.

À Izumo, il y a un sanctuaire important, le sanctuaire d'Izumo ; là-bas, on peut remonter jusqu'à l'époque de la mythologie japonaise.

La préfecture d'Okayama

La préfecture d'Okayama se situe à l'est de Hiroshima, la capitale adminsitrative est la ville d'Okayama.

La partie sud de la préfecture d'Okayama donne sur la mer de Séto.

山口県

□ 山口県は本州の西の端に位置し、九州とは関門橋で結ばれています。

□ 山口県は封建時代には長州と呼ばれ、明治維新をもたらすのに重要な役割を果たした大藩でした。

□ 萩は長州の昔の都で、興味深い史跡がたくさんあります。

□ 山口県の下関は、中国地方の西の端に位置し、関門海峡を挟んで、九州と対峙しています。

本州と九州を分かつ関門海峡

La préfecture de Yamaguchi

La préfecture de Yamaguchi se situe dans le coin ouest de l'île de Honshû, le pont Kanmon relie cette dernière à l'île de Kyûshû.

La préfecture de Yamaguchi qu'on appelait autrefois à l'époque féodale « Chôshû » fut un grand fief qui a joué un rôle important dans la restauration de Meiji.

À Hagi, la ville qu'on appelait jadis « Chôshû », il y a beaucoup de vestiges historiques intéressants.

Shimonoséki dans la préfecture de Yamaguchi se trouve à l'extrémité ouest de la région de Chûgoku, et fait face à l'île de Kyûshû, de l'autre côté du Détroit de Kanmon.

四国地方

四国は、日本の主要４島の中では一番小さな島です。四方を海に囲まれ、温暖な気候で、果物の生産が盛んです。

四国地方の概要

□ 日本の4つの主要な島の中で、四国が一番小さいです。

□ 四国は、中国地方の南、瀬戸内海を渡ったところに位置しています。

□ 四国は大阪の南西に位置しています。

□ 四国には4つの県があり、すべての県が海に面しています。

□ 四国は本州四国連絡橋という橋で行き来することができます。

□ 四国はその温暖な気候と山地で知られています。

□ 四国はミカンと海産物が有名です。

四国の交通

□ 中国地方の岡山から、瀬戸内海を渡る列車で、四国に行くことができます。

□ 四国に行くには、多くの人が新幹線で岡山まで行き、四国行きの電車に乗り換えます。

□ 四国のすべての県庁所在地の近くには空港があり、東京や大阪から飛行機で行けます。

Track 24

Aperçu de la région de Shikoku

Shikoku est la plus petite des quatre îles principales du Japon.

Shikoku se trouve au niveau du sud de la région de Chûgoku et longe la mer intérieure de Séto.

Shikoku se trouve au sud-ouest d'Osaka.

Shikoku compte quatre départements, elles font toutes face à la mer.

On peut faire les allées et venues jusqu'à Shikoku par un pont qui fait la liaison entre Honshû et Shikoku.

Shikoku est connu pour la douceur de son climat et ses régions montagneuses.

À Shikoku, les clémentines et les produits de la mer sont réputés.

Les transports à Shikoku

Depuis Okayama dans la région de Chûgoku, on peut aller à Shikoku par un train qui traverse la mer de Séto.

Pour aller à Shikoku, beaucoup de gens prennent le Shinkansen jusqu'à Okayama, puis ils changent pour un train allant à Shikoku.

Il y a un aéroport près de toutes les capitales administratives de Shikoku, et on peut aller à Tokyo ou Osaka en avion.

四国らしさ

□ 四国生まれの僧である空海は、日本でも最も影響のある密教の一つ、真言宗を開きました。

□ 空海は弘法大師とも呼ばれ、今の香川県、讃岐で774年に生まれました。

□ 四国は、空海ゆかりの88ヵ所のお寺を回る四国お遍路という巡礼で有名です。

□ 多くの日本人が、四国88ヵ所を歩いて周る巡礼の旅に出かけます。

□ 四国88ヵ所を周る巡礼者のことを、日本語でお遍路さんと呼びます。

□ お遍路は、日本人に人気の巡礼の旅で、全長1200キロ以上あります。

愛媛県

本州と四国を結ぶ来島大橋

□ 愛媛県は、四国の北西に位置し、県庁所在地は松山市です。

□ 松山は四国で最大の都市です。

□ 道後は、松山市にほど近い温泉地として有名です。

□ 石鎚山は、西日本で最も高い山で、仏教の修行の場として有名です。

香川県

□ 香川県は四国の北東に位置し、県庁所在地は高松市です。

□ 岡山から本州四国連絡橋を通って高松まで列車で行けるようになり、とても便利になりました。

金比羅宮の参道

Le particularités de Shikoku

Le moine Kûkai, né à Shikoku, a fondé un des bouddhismes ésotériques les plus influents au Japon : la secte Shingon.

Kûkai, aussi appelé Kôbô-daishi, est né en 774 à Sanuki dans l'actuelle région de Kagawa.

Shikoku est connu pour son pélerinage, appelé « o-Henro » qui fait le tour des 88 temples associés à Kûkai.

Beaucoup de Japonais vont à Shikoku pour faire le pélerinage et font le tour de ces 88 temples.

En japonais, on appelle « Henro-san » les pèlerins qui font le tour de ces 88 temples.

Le pélerinage de Henro est populaires auprès des Japonais ; il représente plus de 1 200 kilomètres en tout.

La préfecture de Éhime

La préfecture de Éhime se situe dans la partie nord-ouest de Shikoku, la capitale administrative est la ville de Matsuyama.

Matsuyama est la plus grande ville de Shikoku.

Dôgo, proche de la ville de Matsuyama est une région connue pour ses sources thermales.

Le mont Ishizuchi, à l'ouest du Japon sur la plus haute montagne, est un fameux lieu de culte bouddhiste.

La préfecture de Kagawa

La préfecture de Kagawa se situe au nord-est de Shikoku, la ville de Takamatsu est la capitale administrative.

De Okayama, l'accès jusqu'à Takamatsu a été facilité par la ligne ferroviaire empruntant le pont Honshu-Shikoku renrakukyô.

□ 香川県は、讃岐うどんと呼ばれる麺で有名です。

□ 香川県は晴天の日が多く、雨量が少ないです。

徳島県

□ 徳島県は四国東部に位置し、県庁所在地は徳島市です。

□ 徳島市までは、瀬戸内海を渡る大きな吊り橋を使うと、大阪や神戸から車で簡単に行けます。

□ 鳴門海峡は、流れの速い渦潮で有名です。

大小の渦巻ができる鳴門海峡

高知県

□ 高知県は四国の南側で、県庁所在地は高知市です。

□ 高知県は太平洋に面し、黒潮と呼ばれる海流のおかげで温暖です。

□ 高知県は四国の南部にあり、温暖な気候で知られています。

□ 高知はかつて土佐と呼ばれ、封建時代には山内氏が統治していました。

□ 高知では、カツオやマグロなどの海の幸を楽しめます。

□ 気候が温暖なので、高知では年に2度、米が収穫できます。

Les nouilles appelées « Sanuki-udon » sont une célèbre spécialité culinaire de la préfecture de Kagawa.

À Kagawa, le climat est ensoleillé et le taux de précipitation est moindre.

La préfecture de Tokushima

La préfecture de Tokushima se situe dans la partie est de Shikoku, la capitale administrative est la ville de Tokushima.

On peut facilement aller à Tokushima en voiture depuis Osaka ou Kôbe en utilisant le grand pont suspendu au-dessus de la mer intérieure de Séto.

Le détroit de Naruto est connu pour ses tourbillons marins.

La préfecture de Kôchi

La préfecture de Kôchi se trouve dans la partie sud de Shikoku, la capitale administrative est la ville de Kôchi.

La préfecture de Kôchi longe l'Océan Pacifique et, grâce au courant marin qu'on appelle « Kuroshio », il y fait bon.

La préfecture de Kôchi dans le sud de Shikoku est connue pour son climat tempéré.

À Kôchi, on appelait jadis « Tosa » la zone gouvernée par le clan Yamauchi à l'époque féodale.

À Kôchi, les produits de la mer tels que la bonite ou le thon rouge font la joie des habitants.

Comme le climat est doux à Kôchi, on peut récolter le riz deux fois dans l'année.

高知市街を臨む

九州地方

九州はアジアに近いので、古代には中国や韓国の無数の技術や文化の受け入れ口でした。日本の最西端に位置する沖縄は、363の島からなる県で、亜熱帯の気候をいかしたマリンスポーツなどの観光が盛んです。

九州地方の概要

□九州は日本の4つの島のうち、最も南に位置しています。

□九州は冬は暖かく、夏は暑いです。

□九州地方の商業の中心は福岡市です。

□九州と本州の間には関門海峡があります。

□九州には多くの火山、温泉があり、美しい景観の海岸線も楽しめます。

□九州には沖縄も含め8つの県があります。

□福岡市と北九州市は、九州の中でも最大のメガシティで、両市とも福岡県にあります。

九州の交通

□九州には東京から新幹線で行けます。所要時間は約5時間です。

□2011年、新幹線は九州の最南端の県、鹿児島まで延長されました。

□東京から九州までは飛行機で1時間半かかります。

□九州は大陸に近いので、何世紀もの間、日本への玄関口でした。

Track 25

Aperçu de la région de Kyûshû

Kyûshû est la plus au sud des quatre grandes îles du Japon.

À Kyûshû, les hivers sont doux, et les étés très chauds.

La ville de Fukuoka est le centre des activités commerciales à Kyûshû.

Le détroit de Kanmon sépare Kyûshû et Honshû.

Les volcans et les sources chaudes sont nombreux à Kyûshû, et on peut également y admirer de magnifiques littoraux.

Il y a en tout huit départements à Kyûshû, en incluant celui d'Okinawa.

Les deux mégapoles de Kyûshû sont Fukuoka et Kitakyûshû. Elles se trouvent toutes deux dans le département de Fukuoka.

Les transports à Kyûshû

On peut aller de Tokyo à Kyûshû en Shinkansen. Cela prend environ cinq heures.

En 2011, le Shinkansen a été prolongé jusqu'à la préfecture de Kagoshima, tout au sud de Kyûshû.

Il faut à peu près une heure et demie en avion pour aller de Tokyo à Kyûshû.

Comme Kyûshû est proche du continent asiatique, l'île a été la porte du Japon pendant de nombreux siècles.

九州の歴史

□特に古代において、中国や韓国からの無数の技術、文化が、九州経由で日本に入ってきました。

□過去、九州は韓国と多くの交流を行ってきました。

□九州が、日本史の起源と考える人も多いです。

□九州には、先史時代からの考古学的な遺跡が無数にあります。

□封建時代、九州は強力な大名によって分割されていました。例えば、島津氏は現在の鹿児島県を支配していました。

□日本が江戸時代に鎖国をしている間、長崎の出島と呼ばれる人工島が唯一の開かれた港で、オランダ商人だけが、ここで貿易することができました。

□西部九州はその昔、キリスト教が幕府によって禁止されていたとき、隠れキリシタンがいたところとして知られています。

□幕府によってキリスト教が禁止されていた頃、隠れてキリスト教を信仰していた人を、隠れキリシタンといいます。

□隠れてキリスト教を信仰した人の多くが、17世紀、長崎県や熊本県で殉教しました。

福岡県

□福岡県は九州の北端に位置し、県庁所在地は福岡市です。

□九州最大の都市は福岡市で、九州の北部沿岸に位置しています。

□福岡市は九州の商業の中心です。

□福岡空港からは、アジア各地へ飛行機で行くことができます。

□福岡と韓国の釜山の間には、フェリーが運行しています。

L'Histoire de Kyûshû

C'est surtout vrai dans l'antiquité, d'innombrables techniques et toute la culture venue de Chine ou de Corée sont entrées au Japon en passant par Kyûshû.

Par le passé, il y a eu de nombreux échanges entre Kyûshû et la Corée.

Nombreux sont ceux qui pensent que Kyûshû est le berceau de l'histoire japonaise.

On trouve à Kyûshû de nombreux sites remontant à l'époque préhistorique.

À l'époque féodale, Kyûshû était partagée entre de puissants seigneurs. Par exemple, le clan Shimazu dominait l'actuel département de Kagoshima.

Durant la période de fermeture du Japon, à l'époque Edo, l'île artificielle de Déjima, à Nagasaki, était l'unique port où les marchands hollandais, et eux seuls, pouvaient venir commercer.

On sait que, lorsque le shogunat interdit autrefois la religion chrétienne, des chrétiens se cachèrent dans le sud de Kyûshû.

On appelle chrétiens cachés les croyants qui ont persisté dans leur foi à l'époque où le shogunat a interdit cette religion.

De nombreux croyants qui, au 17ème siècle, pratiquaient en cachette la religion chrétienne ont été faits martyrs dans les départements de Nagasaki et Kumamoto.

Le département de Fukuoka

Le département de Fukuoka est tout au nord de Kyûshû, et sa capitale administrative est la ville de Fukuoka.

Fukuoka est la plus grande ville de Kyûshû, et se trouve sur la côte nord de l'île.

Fukuoka est le centre du commerce à Kyûshû.

L'aéroport de Fukuoka offre des vols vers tous les pays de l'Asie.

Des ferries font le trajet entre Fukuoka et la ville de Pusan en Corée du Sud.

□ 福岡市の下町、博多には地元気質や伝統が残っています。

□ 博多は福岡市の商業地域で、山笠という夏祭りもここで行われます。

水郷の町を流れる柳川

□ 博多山笠は、勢いのいい元気な祭りとして知られています。装飾の施された山車を担ぎ、通りに勢いよく出ていきます。

□ 北九州市はかつて町の南部に炭鉱があったおかげで、鉄鋼業で栄えました。

□ 北九州市は本州から九州への玄関口で、本州の下関とはトンネルと橋でつながっています。

佐賀県

□ 佐賀は、福岡県と長崎県に挟まれた県です。県庁所在地は佐賀市です。

□ 佐賀は伝統的な陶磁器で有名です。伊万里、唐津、有田市などでたくさんの陶磁器が作られています。

□ 佐賀南部は有明海の湾に面しています。湾の干潟にはムツゴロウというひょうきんな魚が生息します。

弥生時代の集落跡、吉野ケ里遺跡

□ 佐賀県北部では、リアス式海岸に沿って素晴らしい景色が堪能できます。

長崎県

□ 長崎は九州の西の端に位置しています。

□ 長崎市は1945年に2発目の原爆が落とされた町です。

□ 広島市と同様、長崎市も平和貢献都市になりました。

□ 封建時代、長崎は日本で海外に開かれた唯一の窓でした。

Dans la vieille ville de Fukuoka, à Hakata, le caractère et les traditions locales sont encore bien vivants.

Hakata est le quartier commerçant de Fukuoka, et il est chaque été le théâtre de la fête de « Yamakasa ».

La fête de « Hakata-Yamakasa » est connue pour l'énergie qu'on y déploie.

Autrefois, il y avait une industrie sidérurgique florissante à Kitakyûshû, grâce à la présence de mines de charbon au sud de la ville.

Kitakyûshû est la porte d'entrée de Kyûshû depuis Honshû, et elle est reliée par un pont et un tunnel à la ville de Shimonoseki, sur Honshû.

Le département de Saga

Le département de Saga se trouve entre les départements de Fukuoka et Nagasaki. Sa capitale administrative est la ville de Saga.

Saga est célèbre pour ses céramiques traditionnelles. De nombreuses céramiques sont conçues dans les villes d'Imari, Karatsu ou Arita.

Le sud du départements de Saga fait face à la baie de la mer d'Ariaké.

Au nord du départements de Saga, on peut admirer de magnifiques paysages le long de la côte en rias.

Le département de Nagasaki

Le département de Nagasaki est tout à l'ouest de Kyûshû.

Nagasaki est la ville où fut larguée en 1945 la deuxième bombe atomique.

Tout comme Hiroshima, la ville de Nagasaki est aujourd'hui une ville consacrée à la défense de la paix.

À l'époque féodale, Nagasaki était l'unique fenêtre pour le Japon ouverte aux étrangers.

□ 長崎にはチャイナタウンがあり、そこでは和食と中華を融合させた伝統の料理が楽しめます。

□ チャンポンは長崎に住む中国人が作り出した麺料理です。

□ 長崎県の西岸に沿って、数えきれない島や入り江があります。

重要文化財の頭ケ島天主堂

□ 平戸は歴史的な街で、禁教にも関わらず、ひそかに信仰を続けた隠れキリシタンについて知ることができます。

□ 島原半島には雲仙岳という火山があります。島原市はこの半島にある美しい城下町です。

□ 長崎県の東シナ海には、島々が点在しています。

熊本県

□ 熊本は福岡の南にある県で、県庁所在地は熊本市です。熊本市は熊本城で有名です。

□ 阿蘇山は熊本県にある火山で、九州の真ん中に位置しています。

□ 熊本県西岸には、天草諸島という景色のよい島々が点在しています。

茶臼山上に建てられた熊本城
（1607 年）

À Nagasaki il y a un quartier chinois, où on peut manger une cuisine unissant les traditions japonaises et chinoises.

Le « Champon » est un plat de nouilles créé par les Chinois de Nagasaki.

Le long de la côte ouest de la préfecture de Nagasaki, il y a d'innombrables îles et criques.

Hirado est une ville historique, connue pour ses chrétiens cachés, qui ont continué à pratiquer leur foi malgré l'interdiction.

Le volcan ungendaké se situe dans la péninsule de Shimabara. Shimabara est une belle ville féodale de la péninsule.

Des îles du département de Nagasaki se trouvent dans la mer de Chine orientale.

Le département de Kumamoto

Le département de Kumamoto est au sud de Fukuoka, et sa capitale administrative est la ville de Kumamoto. Celle-ci est célèbre pour son château.

Le mont Aso est un volcan dans la préfecture de Kumamoto, et se trouve au milieu de Kyûshû.

Sur la côté ouest du département de Kumamoto, des îles aux très beaux paysages forment l'archipel d'Amakusa.

大分県

□ 大分県は熊本県の東に位置し、山やリアス式海岸が見事な景観を作り出しています。県庁所在地は大分市です。

□ 大分県の別府と湯布院は、温泉地として有名で、その他、山間部にもたくさんの温泉があります。

□ 国東(くにさき)半島の谷間にはたくさんの仏教寺院があり、修行の場として知られています。

別府地獄めぐりのひとつ、海地獄

□ 大分県の宇佐という街には宇佐八幡宮があり、そこは武人の守り神とされています。

宮崎県

特別天然記念物の蘇鉄

□ 宮崎県は九州の南東にあり、黒潮が流れていることで気候はとても温暖です。県庁所在地は宮崎市です。

□ 高千穂は、日本統治のためにニニギノミコトが降臨した場所と言われています。

□ 日南海岸は太平洋に面した人気の観光地です。

鹿児島県

□ 鹿児島県は九州の南部に位置し、県庁所在地は鹿児島市です。

□ 鹿児島湾には桜島があり、活火山です。この火山は鹿児島市の向かい側にあります。

Le département d'Oïta

Le département d'Oïta est à l'est du département de Kumamoto. Ses montagnes et ses côtes à rias forment des paysages magnifiques. Sa capitale administrative est la ville d'Oïta.

Outre celles de Beppu et Yufuin, on trouve de nombreuses sources chaudes dans les montagnes du département d'Oïta.

On trouve de nombreux temples bouddhistes dans les vallées de la péninsule de Kunisaki, et c'est un célèbre lieu de pénitence.

Au sanctuaire Hachiman-gû de la ville d'Usa, on révère le dieu protecteur des guerriers.

Le département de Miyazaki

Le département de Miyazaki est au sud-est de Kyûshû, et le courant Kuroshio qui baigne ses côtes lui assure un climat tempéré. Sa capitale administrative est la ville de Miyazaki.

On raconte que Takachiho est l'endroit où Ninigi No Mikoto est descendu des cieux pour régner sur le Japon.

La côte Pacifique de Nichinan est un site touristique très populaire.

Le département de Kagoshima

Le département de Kagoshima est tout au sud de Kyûshû, et sa capitale administrative est la ville de Kagoshima.

Le Sakurajima est un volcan en activité dans la baie de Kagoshima. Il se trouve en face de la ville de Kagoshima.

現在も噴火を繰り返す桜島

□ 霧島は鹿児島にあるもう一つの活火山で、県北部に位置しています。周囲には多くの温泉地があります。

□ 封建時代、鹿児島は薩摩と呼ばれ、島津氏が統治する強力な藩でした。

□ 鹿児島の人々は、鹿児島弁という方言を使っています。

□ 鹿児島県には自然のすばらしい奄美諸島もあります。

□ 種子島は、JAXA（宇宙航空研究開発機構）が運営する宇宙センターがあることで知られています。

沖縄県

□ 沖縄も九州の一部ですが、歴史的にも文化的にもまったく異なります。

□ 沖縄は九州と台湾の間に位置しています。

□ 沖縄県は、亜熱帯気候に属しています。

□ 沖縄は、160の島が連なる南西諸島の南にあり、その県庁所在地は那覇市です。

□ 沖縄県の属する南西諸島を琉球諸島と呼びます。

象の鼻の形が特徴的な万座毛

□ 沖縄は熱帯の自然があり、日本人にとって人気の観光地です。

□ 沖縄の文化やライフスタイルは、その位置、歴史的背景により、ほかの日本の地域とはまったく異なっています。

□ 沖縄独自の料理、酒、そしてタバコがあります。

□ 島唄と呼ばれる沖縄の民謡が、歌い継がれています。

Kirishima est un autre volcan actif au nord de la préfecture de Kagoshima. Il est entouré de nombreuses sources chaudes.

À l'époque féodale, Kagoshima s'appelait Satsuma, et c'était un fief puissant, dirigé par le clan Shimazu.

Les habitants de Kagoshima utilisent un dialecte appelé « Kagoshima-ben ».

L'archipel d'Amami, avec ses paysages naturels de toute beauté, appartient également Kagoshima.

L'île de Tanégashima est connue pour abitrer le centre spatial administré par la JAXA (Agence d'exploration spatiale japonaise).

Le département d'Okinawa

Okinawa fait également partie de Kyûshû, mais elle est très différente sur les plans historique et culturel.

Okinawa se trouve entre Kyûshû et Taiwan.

Le département d'Okinawa est située sous les tropiques.

Okinawa est au sud de l'archipel au sud-ouest du Japon, qui rassemble cent soixante îles, et sa capitale administrative est Naha.

L'archipel dont fait partie la préfecture d'Okinawa s'appelle l'archipel des Ryûkyû.

Avec sa végétation tropicale, Okinawa est une destination touristique courue par les Japonais.

Du fait de sa situation géographique et de son histoire, la culture et le style de vie à Okinawa sont très différents du reste du Japon.

Okinawa a ses propres cuisine, alcools et cigarettes.

Le chant traditionnel d'Okinawa appelé « Shimauta » continue à être chanté.

□ 島唄は沖縄の民謡で、地元の弦楽器である三線に合わせて歌われます。

□ 三線は蛇皮線とも呼ばれます。三線は沖縄独特の楽器で、弦が3本で、胴の部分には蛇の皮が張られています。

□ 沖縄はかつては琉球王国という独立国でした。

□ 那覇には、ユネスコの世界遺産に登録されている首里城という城があります。

□ 17世紀、日本による侵攻が始まりました。

□ 沖縄が公式に日本となったのは1879年のことです。

□ 1945年、沖縄はアメリカ軍に攻撃され、激しい戦場となりました。

□ 沖縄の戦闘で、94,000人以上の人が亡くなり、その多くが市民でした。

□ 戦争中、看護師として従軍していた多くの若い女学生が殺されたり、自殺したりした壕が、沖縄南端にあります。

□ 沖縄戦の被害者には看護師として従軍していた若い女学生もいました。彼女たちはひめゆり部隊として知られています。

□ 沖縄は第二次世界大戦中、唯一アメリカ軍が侵攻した県です。

□ 日米安全保障条約により、沖縄本島にはたくさんの米軍基地があります。

□ 日本人にとって、沖縄本島の約15%を占める米軍基地の問題は、賛否両論ある政治的関心事です。

« Shimauta » est un chant traditionnel d'Okinawa, et on le chante accompagné par un instrument à cordes local appelé « Sanshin ».

Le « Sanshin » est aussi appelé « Jabisen ». C'est un instrument typique d'Okinawa, avec trois cordes, et dont la caisse est couverte d'une peau de serpent tendue.

Autrefois, Okinawa était un pays indépendant : le royaume des Ryûkyû.

Le château de Shuri à Naha est inscrit au patrimoine culturel mondial de l'UNESCO.

L'invasion par le Japon a commencé au 17ème siècle.

Okinawa a été officiellement intégré au Japon en 1879.

En 1945, Okinawa a été attaqué par l'armée américaine, et a été le théâtre d'une très violente bataille.

Plus de 94 000 personnes, pour la plupart des civils, sont mortes pendant la bataille d'Okinawa.

À l'extrémité sud d'Okinawa, on trouve des tunnels où, pendant la guerre, des jeunes écolières rattachées à l'armée comme infirmières ont été assassinées ou se sont suicidées.

De jeunes écolières qui assistaient l'armée en tant qu'infirmières ont aussi perdu la vie pendant la bataille d'Okinawa. On les a baptisées l'escadron Himeyuri (Lys).

Okinawa est le seul département envahi par l'armée américaine pendant la Seconde Guerre Mondiale.

Il y a de nombreuses bases américaines sur l'île d'Okinawa, en accord avec les termes du traité de sécurité nippo-américain.

Pour les Japonais, le problème des bases américaines d'Okinawa, qui occupent 15 % du territoire de l'île principale, est un problème politique sensible, et leurs opinions sont partagées.

フランス語 日本紹介事典 JAPAPEDIA（ジャパペディア）［増補改訂版］

2024年 1 月 6 日　第1刷発行

編　者　IBCパブリッシング
訳　者　西村　亜子

発行者　浦　晋亮

発行所　IBCパブリッシング株式会社
〒162-0804 東京都新宿区中里町29番3号 菱秀神楽坂ビル
Tel. 03-3513-4511　Fax. 03-3513-4512
www.ibcpub.co.jp

印刷所　株式会社シナノパブリッシングプレス

Printed in Japan

ISBN978-4-7946-0793-5